日本を腐らせた いかがわしい人々

適菜　収

ワニブックス
|PLUS|新書

はじめに

安倍晋三が二〇二二年七月八日、近鉄大和西大寺駅周辺で選挙の街頭演説中に、山上徹也に銃撃されて殺害された。

殺人は断じて許されることではない。それと同時に、撃たれて亡くなったからといって美化したり、英雄に仕立て上げることはあってはならない。

生物としての安倍は肉体を失ったが、安倍が体現していたもの、この社会の病理は、今もこの日本社会に変わらず生き続けている。

その象徴が「安倍的なもの」を引き継いで首相になった岸田文雄が、国会を通さずに決行した二〇二二年九月二七日の国葬である。

法的根拠に基づかず、議会も通さずに、国民の六割が反対を唱える中、閣議決定だけで強行した事実は、議会主義を根底から覆す愚行である。

安倍が死んでもわが国がかかえる諸問題が解決したわけではない。問題の本質が解決したわけでもない。社会が病んでいる限り、「安倍的なもの」が除去されることはないだろう。

これは一人の人格に還元して語ることのできるような単純な話ではない。元大阪府知事の橋下徹を私が批判してきたのも全く同じ理由だ。橋下という個人がどうこうというより、あのような人物に権力を与えてしまった、社会の空気、大衆のメンタリティの危険性を指摘してきたのだ。

現在の日本の状況を見て、人々は何を考えているのだろうか。

銃撃事件の後、自民党の実態が次々と明らかになっていった。

私は一〇年ほど前から、安倍とその周辺は、新自由主義者と政商とカルトの複合体であると指摘し続けたが、そのつながりはズブズブどころか、国家の中枢にまで食い込むものだった。

TBS「報道特集」が入手した資料によると、統一教会は二〇二〇年までに教団を日本国民の宗教とし、連携する国会議員を一五〇人から三六二人に増やし、そこから総理大臣、閣僚を選出することで「国を動かす」目的があったとのこと（二〇二二年九月二四日放送）。

安倍とその周辺と統一教会の関係は「疑惑」ではない。事実である。

そして、この国家の根幹に関わる重大な問題を矮小化したり、隠蔽をはかったり、論点をずらしたりする連中が、総動員され、引き続き社会を歪めている。

私はジャーナリストではないし、宗教研究家でもない。

統一教会の教義について論じるつもりもないし、霊感商法の被害を追及するスキルもない。

私が繰り返し書いてきたことは、今回のような大きな事件が起きたときに、人間はどのように振舞うのかということだ。

新型コロナウイルスの件についても同じことが言える。私は医療ジャーナリストでもないし、免疫学の専門家でも感染症の学者でもない。

ただ、パンデミックのときに、人間はどのように振舞うのか、そこに関心があった。

危機が発生すると、それに便乗して必ずデマゴーグが出現する。

コロナのパンデミックの際も、素人が専門家を罵倒し、デマや陰謀論を垂れ流す連中が大量に現れた。国家の役割を軽視する新自由主義者の類はともかく、普段「保守」を名乗っていた連中までもが、「行動制限は全体主義だ」などと言い出したりもした。新型コロナの正体が判明していないうちから、彼らは断言を繰り返し、現実との齟齬が生じると、発言をコロコロ変え、それでも整合性が取れないと陰謀論に逃げ込んだ。

今回の統一教会の件も同じだ。

ああいうものを支えてきた連中がいかにして世を騙し、場合によっては自分を騙すのか。

その「いかがわしい人たち」について、記録を記しておきたい。

なお、敬称はすべて省略させていただきました。

適菜収

目次

第3章　いかがわしい政治家……81

第4章　いかがわしい「論客」……133

第1章　「いかがわしい人たち」があぶり出された日

同じ〝壺〟のムジナ

残念ながら、与えられた情報を詳しく調べもせずに飛びついてしまう人々はいる。歴史や伝統の価値に興味もなく、国家や社会がどうなろうと知ったことではないという人々もいる。特定の勢力がつくりあげたチープな物語を信じ込み、生温かい世界に閉じこもる人もいる。そして、こうした人々をカモにして、権力に接近する人々もいる。

スペインの哲学者ホセ・オルテガ・イ・ガセットは『大衆の反逆』（佐々木孝訳／岩波文庫）で「大衆」を次のように定義している。

《大衆とは、善い意味でも悪い意味でも、自分自身に特殊な価値を認めようとはせず、自分は「すべての人」と同じであると感じ、そのことに苦痛を覚えるどころか、他の人々と同一であると感ずることに喜びを見出しているすべての人のことである》

《人間を最も根本的に分類すれば、次の二つのタイプに分けることができる。第一は、自分に多くを求め、進んで困難と義務を負わんとする人々であり、第二は、自らに対してなんらの特別な要求を持たない人々、生きるということが自分の既存の姿の瞬間的連続以外のなにものでもなく、したがって自己完成への努力をしない人々、つまり風のまにまに漂う浮標のような人々である》

《したがって、社会を大衆と優れた少数者に分けるのは、社会階級による分類ではなく、人間の種類による分類なのであり、上層階級と下層階級という階級的序列とは一致しえないのである》

《かくして、その本質そのものから特殊な能力が要求され、それが前提となっているはずの知的分野においてさえ、資格のない、資格の与えようのない、また本人の資質からいって当然無資格なえせ知識人がしだいに優勢になりつつあるのである》

端的に言えば、隣の人と自分の価値観が似ていることに安心感を覚える類の人である。

確固とした自分の考えがなく、世間体ばかりを気にしている。

政治家はこういう人たちをプロパガンダのターゲットにする。

一連の統一教会の病理も同じである。

安倍晋三(1954～2022)。第90・96・97・98代内閣総理大臣。写真は2013年9月、ニューヨーク証券取引所で演説する様子(写真:朝日新聞社)

政治家は票を集めることができるなら、なりふり構わずなんでも利用する。そこにはモラルも責任感もない。この腐った政治に迎合し、これまで安倍晋三礼賛記事を社会に垂れ流してきた自称保守系メディアは、反省するどころか、安倍とカルトのつながりを「政治と宗教」や「信教の自由」の問題にすり替えたり、「安倍さんは統一教会の天敵だった」と妄想を膨らませたり、統一教会の問題を矮小化することで、この危機を乗り越えようとしている。

反日カルトが国家の中枢に食い込んでいたのに、現実を直視できない人々は、自我を保つために、いかがわしいメディアに寄生するいかがわしい「評論家」が流すいかがわしい情報に飛びついてしまう。

都合のいい情報だけをピッキングし、メディアが垂れ流す思考のテンプレートに乗り、同じ類のデマをツイートで垂れ流す。

カルト信者の洗脳を解くのは難しい。ネトウヨや安倍信者の洗脳を解くのも容易ではない。

批判されれば意固地になり、認識を更新することができないという点では、統一教会の信者も安倍信者も同じ壺のムジナなのである。

「プーチンと二七回も会談した」結果は

統一教会との問題を抜きにしたとしても、これまで安倍がやってきたことは、国家、社会、法の破壊に他ならなかった。

安倍政権下では、省庁をまたがる大規模な不正が発覚した。入管法改定に関する法務省のデータ誤魔化し、森友事件における財務省の公文書改ざん、南スーダンＰＫＯにお

2019年9月、ロシア・ウラジオストクで会談する安倍晋三とプーチン
（写真：朝日新聞社）

ける防衛省の日報隠蔽、裁量労働制における厚労省のデータ捏造、国土交通省における期間統計データの書き換え。公文書とは国家の記憶である。

要するに連中は国家の中枢に総攻撃を仕掛けたのだ。

外交ではロシアにカネを貢いだうえ、北方領土の主権を棚上げした。プーチンは安倍を「金づる」くらいにしか見ていなかった。

自称保守メディアは「安倍はプーチンと二七回も会談した」と礼賛したが、二七回も会談しておきながら上納金と一緒に北方領土をむしり取られただけ。

実際、プーチンは二〇一九年九月六日、「（北方領土は）スターリンがすべてを手に入れた。議論は終わりだ」と切り捨てている。清々しいまでの大失態である。

憲法も蹂躙（じゅうりん）された。意味不明の「加憲」を唱え、戦後改憲派が積み上げてきた議論すらドブにぶち込み、集団的自衛権に関する安保法制騒動では政治の手続きそのものを破壊した。

結局、バカがバカを支持するから、バカな国になるのだ。

安倍はニューヨーク証券取引所で「もはや国境や国籍にこだわる時代は過ぎ去りました」と発言。

世界経済フォーラム年次会議（ダボス会議）の冒頭演説では徹底的に日本の権益を破壊すると宣言。電力市場の完全自由化、医療の産業化、コメの減反の廃止、法人税率の引き下げ、雇用市場の改革、外国人労働者の受け入れ、会社法の改正などを並べ立て、「そのとき社会はあたかもリセット・ボタンを押したようになって、日本の景色は一変するでしょう」と言い放った。

極左カルトのテロリストが「社会をリセット」し、「新しい国をつくる」と言うなら

2006年3月、衆院本会議で話し込む安倍晋三と竹中平蔵（写真：朝日新聞社）

まだ理解できるが、一国の総理大臣が国境や国籍にこだわることを否定し、保守を自称するような連中が、黄色い声援を送ってきたわけだ。

現在、政権中枢において国家の解体が進められている。そして少なくともこの四半世紀に及ぶ「改革」騒ぎに対する本質的な反省を見かけることはない。

実際に日本の景色は一変した。

例を挙げればキリがないが、あらゆる意味において、国家は完全に破壊された。連中は新自由主義勢力の下請けとして国益を破壊し、竹中平蔵のような政商たちと癒着し、憲法破壊に手を染めた。

本来の意味における「反日」

この売国・壊国に加担したのが産経新聞やいわゆる「保守系」月刊誌である。デマに近い情報を発信し、それを購読するネトウヨがさらにＳＮＳで拡散させる。これが世論の一部を形成している。

これもモラルの低下と関係がある。上層部はネトウヨ層にあてこんだ商売をすれば儲かるという確信犯である。そのビジネスが続く中で、いかがわしい人物がライターとして起用されるようになり、身動きが取れなくなってしまった。

安倍礼賛を続けてきたことが間違っていたと認めたら、雑誌としてもライターとしても路頭に迷うことになる。そこで現実を歪め、「偉大な政治家安倍晋三」という虚像をつくりあげることに全精力を傾け始めた。

追悼号を毎月のように出し、安倍を礼讃し続ける。自己欺瞞（ぎまん）を続け、過ちを認めようとしない。

本来、保守とはこうした歪んだ思考を戒める態度のことである。それは復古でも右翼でもない。近代の不可逆的な構造を理解した上で、近代内部において理性や合理の暴力に抵抗するのが保守である。保守思想に関する文献を読めば、日本で「保守」とされているものが、その対極であることがわかる。

保守は人間理性を信仰しないので権力を警戒する。よって権力の分散を説いてきたが、エセ保守は逆に権力に迎合する。そして権力と一体化したかのような多幸感に包まれ、自画自賛を繰り返す。自分が大好きで、日本はすごい国と信じ込み、生温かい世界に引きこもる。論理的な整合性が取れなくなれば陰謀論に逃げ込み、惨めな、卑小な、卑劣な自分たちのメンタリティーをごまかすために、その鬱憤を近隣諸国や社会的弱者にぶつける。

こうした連中こそが、本来の意味における「反日」であり、精神的な「弱者」である。

私はこうツイートしたことがある。

《自称保守系月刊誌とかに寄稿している底辺のネトウヨが、安倍の正体が明らかになるにつれ、取り乱し、支離滅裂になっていく様子を観察するのは、少しだけ面白いですね。

小学生は夏休みの観察日記にすればいい》

二〇二二年の夏はまさにそういう状況だった。安倍とカルトに関する様々な事実が暴き出された結果、てんぱって支離滅裂なことを言い出す人、黙りこくる人、論点をずらす人、話を逸らす人……。要するに、「いかがわしい人たち」の正体が一気にあぶり出された。

危機は人間の本質を暴き出す。

逆に言えば、われわれは危機に立ち向かうために、まずは人間の本質を知らなければならない。

第2章　思考回路がおかしい人々

「安倍ガーのせいで事件が発生した」と言い張るバカ

安倍銃撃直後の、つまり事件の背景がまだ何もわかっていない時期から、「『安倍ガー』のせいで事件が発生した」とフライング気味に言い張る人間は散見された。「安倍ガー」とは、安倍に対し、主にツイッターなどのSNS上で過激に批判する勢力及び個人を意味するスラング、ネトウヨ用語である。

つまり、安倍に対する批判的な言論が、「安倍憎し」の空気を世に蔓延させ、山上もそれに感化されたことにより、事件が発生したというわけだ。したがって悪いのは安倍を批判してきたメディアや言論人であると。ばかばかしい。

実業家・タレントの堀江貴文は、早い時期にツイッターで「反省すべきはネット上に無数にいたアベカー達だよな。そいつらに犯人は洗脳されてたようなもんだ」と投稿。これに対し、フォロワーから「私も同じ事を考えていました」「全肯定はできないが一理ある」「そのとおりだと思います」という賛同のリプライが集まった。

こういうズレたコメントをドヤ顔で出した「識者」は多い。

評論家の八幡和郎は、池田信夫が運営するサイト『アゴラ』に「安倍狙撃事件の犯人は反アベ無罪を煽った空気だ」とする記事を寄稿しているし、作家の百田尚樹は「今回の事件を引き起こしたのはメディアだ！」とツイートした。

フジテレビ解説委員の平井文夫は「私たちが苦しんでいるのは、日本という国が、この社会の空気が、安倍さんを殺してしまったのではないかということなのだ」などと妄想を膨らませた。

しかし、山上はネトウヨだった。

山上は二〇一九年一〇月一四日、本人のものと思われるアカウントで、「オレが憎むのは統一教会だけだ。結果として安倍政権に何があってもオレの知った事ではない」と統一教会への恨みを述べている。同年一二月七日には「ネトウヨとお前らが嘲（あざけ）る中にオレがいることを後悔するといい」とツイートしている。自分を「ネトウヨ」と認めているわけだ。

二〇二〇年八月三一日には、安倍を批判するツイートに対して「安倍政権の功を認識できないのは致命的な歪み。永久泡沫野党宣言みたいなもの」とリプライ。二〇二二年三月二二日には、やはり安倍を批判するツイートに対し、「下らないねえ」「安倍憎しの最初にありきが見え見えの愚論」などと安倍を擁護していた。

つまり、「『安倍ガー』のせいで事件が発生した」というのは完全に妄想であり、山上は安倍信者の一人だったわけだ。

事件の原因や背景がわからないうちに、無責任なことを言い出す奴はいつの時代もいる。

現在、その病は、政界をも汚染している。

自民党の高市早苗は早い段階から事件は政治的テロと決めつけたが、山上本人が供述しているとおり、原因は家族を破壊した統一教会に対する私怨だった。

そもそも、政治家を批判したり揶揄すると、テロが発生するという論理がよくわからない。

「風が吹けば桶屋が儲かる」ではないが、そんな理屈が通用するなら、日本では毎日テロが発生していなければおかしいという話になる。

「山上の思い込みにより銃撃事件は起きた」と言い張るバカ

大手メディアの罪も大きい。当初は、事件の背景を「山上の思い込みによるもの」とする世論誘導を行っていた。ＮＨＫは二〇二二年七月一五日、「容疑者は宗教団体に恨みを募らせた末、安倍元総理大臣が近しい関係にあったと思い込んで事件を起こしたとみられています」と報道。

産経新聞は同年七月一六日に「山上容疑者は母親が宗教団体へ献金を繰り返し破産した恨みを募らせ、関係があると一方的に思い込み安倍氏を狙ったとみられている」と報じている。

日本経済新聞は同年七月八日に「銃撃の容疑者『安倍氏、特定団体につながりと思い込み』」と見出しを打った。

雑誌記事も「山上の思い込み」と繰り返していた。

言うまでもないが、これは山上の一方的な「思い込み」などではない。客観的事実として安倍と統一教会はつながっていたのだ。

安倍晋三が表紙に扱われた教団関連団体「国際勝共連合」の機関誌『世界思想』（写真：朝日新聞社）

自民党清和会と統一教会の関係は、大昔から指摘されてきた。

一九六〇年代に教団系の政治団体「国際勝共連合」が設立されたのが、安倍の祖父である岸信介の力添えであったことは、政治に多少の関心を持つ人なら常識にすぎない。安倍家三代と統一教会との関わりについては、関連書籍も出ているし、報道もされている。

安倍が主催した「桜を見る会」には、安倍に近い統一教会の関連政治団体・世界戦略総合研究所の事務局次長（当時）や悪徳マルチ商法「ジャパンライフ」の会長、反社会勢力のメンバー、半グレ組織のトップらが招かれていたが、メディアにいる人間なら、安倍と統一教会の関係は当然知っているはずで、安倍と統一教会を切り離そうとする報道には、なんらかの目的があると考えたほうがいい。「山上の一方的な思い込み」説は、現実によりすでに破綻している。

狙撃事件を「民主主義に対する挑戦」と言い張るバカ

銃撃事件発生直後から「民主主義に対する挑戦」と言い張る人々が現れた。自民党幹事長の茂木敏充は狙撃直後の会見で「民主主義の根幹たる選挙中のテロ行為は、民主主義に対する挑戦だ。断固強く抗議します」と記者団に語っている。岸田文雄も同様の発言を繰り返した。

日本維新の会共同代表の馬場伸幸は「暴力による言論の封殺や民主主義に対する挑戦は絶対に許されるものではない」とツイート。

しかし、すでに述べたように山上の銃撃は私怨によるものであり、テロではない。民主主義への挑戦でも、暴力による言論封殺が目的でもない。

「民主主義への挑戦」というフレーズは耳目に入りやすいし、使いやすいのかもしれないが、山上の発言からは、どこをどう探しても出てこない。山上本人に聞いても、何の話をしているのかわからないのではないか。

一方、民主主義に対する挑戦を続けたのは、政府と自民党である。

国会を通さずに国民の税金を拠出した安倍の「国葬」を行い、統一教会と関連のある議員を処分せずに、逆に安倍を「国賊」と指摘した村上誠一郎議員を処分した。

国賊に国賊と言ったら処分になるのか？

アメリカ人にアメリカ人と言ったら処分か。

ハンバーグをハンバーグと言ったら処分か。

国会を軽視し、議会主義を冒涜している連中が、声高に「民主主義への挑戦だ！」と騒いでいるのだから盗人猛々しいというしかない。

「スナイパー小屋」のデマを信じるバカ

今回もネトウヨの類がＳＮＳで嘘やデマを垂れ流し続けたが、「スナイパー小屋」に関するデマは、もっとも低レベルかつ悪質だった。

解説するのもばかばかしいが、銃撃事件当日のニュース映像に映りこんでいた商業ビルの屋上に、白いテント小屋が映っており、これが三時間後になくなっていたことから、「小屋はプロのスナイパーが狙撃のために利用した」「安倍元総理は闇の勢力によって暗殺された」などといったデマが拡散された。陰謀論未満の子供のいたずらに近いが、驚くべきことにこれを真に受けた人々が登場した。

日本テレビ系の情報番組が、ビルの管理会社に取材をして確認したところ、小屋はビルの排煙ダクトの清掃業者が設置したもので、作業が終わったので撤去しただけだった。

ツイッター上には《大スクープ　拡散して奈良県警、警視庁が突き詰めましょう！隠蔽出来ないくらい拡散しましょう！》などと妄想を膨らませる人たちが現れたが、このデマを拡散させたのが関西の某お笑いタレントである。

ネット上の与太や陰謀論を真に受け、客観事実に基づきものごとを考える力がない人が社会の第一線で大きな声を出している。面白かったのは二〇二〇年一〇月に掲載されたネット記事。「ツイッターで発信するうえでは、どんなことに気をつけていますか?」という質問に対し、某タレントは次のように答えている。

《計算に基づいた数字的な根拠を出してツイートすること。文系だと感情論でツイートする方も多いけど、ツイッターは理系のやり方でやった方がいいと思います。そしてフェイクに騙されない。これが一番大事やね》

素晴らしいとしか言いようがない。

「犯人は在日だ」「中国人の仕業だ」と言い出すバカ

ネット上ではなんの根拠もなく、「山上は在日朝鮮人だ」「中国人の仕業だ」と言い出す人が登場した。陰謀論を信じる人々は外部からはバカに見えるが、同じような連中が集まると、その内部においては、自分たちの論理の整合性を疑うことがなくなっていく。特定の環境の中にいると、人は意外と簡単に非合理な判断、思い込みをしてしまうものだ。

カルト化が進行している自称保守業界も同じだ。「虎ノ門ニュース」のような番組にその類の評論家仲間が集まり、「安倍さんはすばらしい」「統一教会の天敵だった」「安倍さんを批判する奴はバカ」などと繰り返していると、視聴者はこうした気分だけが体内に残る。信用できる人物の発言なのかどうかは記憶から消え、嘘やデマ、陰謀論だけが記憶に残る。思考停止した連中が徒党を組むと、自分たちの異常さに気づかなくなる。都合のいい情報しか耳に入らなくなり、現実との接点を失い、濃縮されたカルトになっていく。

これはオウム真理教と似ている。

被害妄想と陰謀論に辿り着き、狭いコミュニティーの中でカルト化していく。頭はそれなりにいいが孤独な人がカルトにはまりやすい。カルトの内部では世の中を整合的に説明してくれるし、自分と似たような考えを持つ人が周辺に集まってくる。そこではじめて自分を認めてくれる人たちに出会い、居場所を見つけたような気分になる。居心地がいいから、外部の世界と乖離していても気づかない。

そもそも安倍という人物がカルト体質だった。

安倍は統一教会だけでなく、手かざし宗教の「崇教眞光」の広報誌で「自分も信者」と発言していた（『FRIDAY』二〇二二年八月一九・二六日号）。手かざしで病気や人間関係などのトラブルを解消すると謳うこの教団は、献金問題などトラブルが頻発してきた。記事によると安倍は、教団本部で大祭という行事に参加し、次のような祝辞を送っている。

《主の大御神様、救い主様、聖珠様、教え主様、立教五十周年大祭がこうして盛大に開催されましたことを心からお喜び申し上げる次第でございます》

さらには、安倍は初級研修なるものを受講し、「神組み手の末席に名を連ねさせていただきました」と述べたという。「神組み手」とは信者のことだと記事は伝えている。「手かざし」と言えば、安倍は「慧光塾」とも繋がっていた。「慧光塾」代表の光永仁義と安倍は家族ぐるみのつきあいであり、同塾のイベントに参列した際のスピーチで「(光永代表の）パワーで北朝鮮を負かしていただきたい」と発言。

だからカルト化する自称保守論壇も、安倍と親和性があったのだろう。連中は次々と陰謀論やデマに飛びつき、馬脚を現した。安倍に唯一功績があるとしたら、周囲に集まってきた乞食言論人や自称「保守メディア」の正体を、完全に明らかにしてしまったことにあるだろう。

「安倍は統一教会の天敵だった」と言い張るバカ

ジャーナリストを名乗る門田隆将は二〇二二年七月二六日に出演したネット番組「虎ノ門ニュース」で、安倍は統一教会の天敵だったという趣旨の発言を繰り返した。安倍が在任中に消費者裁判手続特例法など、カルト教団に不利となる法案を閣議決定して国会提出していたので、安倍はカルトのシンパどころか、カルト潰しに精力的だったというわけだ。

門田の妄言については、第四章でも触れていくが、門田はさらに「公明党と創価学会はなぜ問題にされないのか、問題を追及するならすべてを議論しろ」と「政治と宗教」の問題にすり替える始末。これに乗っかって似た主張をしたり、門田のツイッターの投稿を拡散したネトウヨも多い。

門田といえば低レベルの陰謀論をばらまき、安倍愛の妄想を膨らませるあまり、現実を無視することでも有名だ。安倍の国葬に関しては「トランプ、蔡英文、ダライ・ラマ、ゼレンスキー、プーチン、バイデン、習近平……敵も味方も世界の要人達が出たいだろう安倍晋三元首相の国葬」などとツイートしていたが、そのうち一人も出席していない。それ以前に、G7首脳の参加はゼロ。

ツイッターのプロフィール欄には、「現在の日本を『ドリーマー（夢見る人、観念論の人）』と『リアリスト（現実主義者）』との対立の時代と捉え、DR戦争と呼んでいる」とあるが、白昼夢を見ているのは、どこのどいつなのか？

最高に面白いよね。

夢見る夢子ちゃん。

安倍とカルト規制法案については国家公安委員長の二之湯智も、二〇一〇年を最後に霊感商法に関する被害届はないとする発言をしている。「警察としては、違法行為があれば法と証拠に基づいて適切に対処していかなければならないが、私が申し上げた（二〇一〇年）以降はそういうことがない。被害届があれば別だが、警察として特別、動きはないということです」（二〇二二年八月五日）

二之湯智（1944～）。総務副大臣、国家公安委員会委員長などを歴任（写真：朝日新聞社）

ところが、会見終了後、警察庁は「被害届」ではなく、二〇一〇年を最後に「検挙がない」と訂正。

検挙数がいきなりゼロになったなら、なにかがおかしいと感じるのが普通の人間だ。ましてやジャーナリストを名乗るなら、政治的圧力を疑うのが当然だし、取材をするのが仕事だろう。

統一教会による霊感商法被害の根絶や、被害者の救済を目的に活動している「全国霊感商法対策弁護士連絡会」（全国弁連）の集計では、二〇一〇年から二〇二一年の一二年間で、確認できた被害金額は一三八億円、相談件数は二八七五件にのぼる。ところが、この期間中「検挙」はなかった。

《二〇〇五年から二〇一〇年にかけて、警察は、霊感商法による販売行為や献金勧誘に絡む物品販売について検挙し、一三件で三〇人以上の旧統一教会信者が摘発され、逮捕・勾留されました。二〇〇九年の『新世事件』では、東京の統一教会信者二名が執行猶予つき懲役刑の判決を受けています。それが二〇一〇年以降は、一度も検挙されなくなってしまったわけです》（「ＳｍａｒｔＦＬＡＳＨ」二〇二二年八月六日）

二〇二二年七月一二日に開かれた「全国弁連」の記者会見では、渡辺博弁護士がこう憤っていた。

《(二〇〇九年の新世事件のあと) 旧統一教会の責任者が、自分たちの機関紙の中で『政治家との繋がりが弱かったから、警察の摘発を受けた。今後は、政治家と一生懸命繋がっていかなきゃいけない』と『私たちの反省』として述べていた。わたしたちが国会議員の方々に、旧統一教会の応援をするのをやめてくださいよ、と呼び掛けている理由も、そこにあります。やっぱり旧統一教会の被害者にとっては、政治家との繋がりがあるから、警察がきちんとした捜査をしてくれないというような思いがずっとあると思います。私どもにもあります》

全国弁連の代表世話人を務める山口広弁護士はこう語っている。

《新世事件以降の政治の横やりも影響したのか、二〇一〇年ごろに撃ち方やめとなってしまったんです。(新世事件に関して) 警視庁は当初、統一教会の松濤本部までガサ入れする方針だったのに、警察庁出身の自民党有力議員から圧力がかかり、強制捜査は渋

谷教会などにとどまった。この話はいろんなところから何回も聞きました》

ネットにも批判の声があふれた。

《冷静に考えると、警察庁からの訂正も「被害届はあるが、ここ一二年間一件も検挙できていない」という事になる。それまでは検挙できていたのに、二〇一〇年から後は検挙できなくなったというのはどういうことか》

《意味が一八〇度違う。「被害届がない」のが事実であれば問題がない団体だということ。ところが「被害届が出ているのに、検挙がない」ということなら、問題のある団体であるにもかかわらず、警察は一件の検挙もしていないということになる》

《被害の事実を確かめもせずに、国家公安委員長ともあろう人が公の場で「被害届はない」と断言したこととの責任は重いと思われます》

素人でもおかしいと思うようなことが、ジャーナリストや国家公安委員長にはなぜわからないのか。わかっていてわからないふりをしているのか。

なお、二之湯は二〇一八年に統一教会の関連団体が開催したイベントで実行委員長を務めていたことを認めている。

「統一教会を『反日』と捉えると間違う」と言うバカ

三浦瑠麗といういかがわしい人物がいる。

ワイドショーのコメンテーターもやっているが、その正体はわからないところが多い。私は「本物のバカなのか、バカのふりをしたデマゴーグなのか。私も計りかねていたが、最近はそのハイブリッド型であることがわかってきた。要するに一番タチが悪い」と書いたことがある。

「安倍晋三と統一教会の関係を詮索するな」の一行で済む話を、論点をずらしながら意味不明な言葉で飾り立て、問題を隠蔽・矮小化し、世間をケムに巻く。しかし地頭の悪さはなかなか隠せない。

三浦は、メディアやSNSで統一教会が「反日」であるとする声が多いことに触れ、「そして、相手を批判したいがばかりに『反日』という言葉を使ってしまった影響は今後尾を引くことになるでしょう。この言葉がさまざまなところへバックファイヤーすることを予想できない人びとの存在は、私の合理的思考の範囲を超えています」とツイートしている。

統一教会が反日であることは、別に「合理的思考」がどうとかこうとかの問題ではなく、客観的事実である。

「〝エバ国〟の日本が資金を調達して〝アダム国〟の韓国に捧げる」というのが統一教会の基本システムである。

アダムとエバが禁断の果実を食べるという旧約聖書の話は有名だが、エバが先に食べた後に、それをアダムに渡したということになっている。統一教会の教義では、「アダム=韓国」で、「エバ=日本」であるという。要するに、エバ国である日本がカネをかき集め、アダム国である韓国の本部に捧げるというのが統一教会の教義だ。

霊感商法の被害は絶え間なく発生し、苦しんでいる人は多い。

客観的な事実を提示し、被害者救済のために動くと、脅迫される。

統一教会の信者救済を続ける「全国霊感商法対策弁護士連絡会」の弁護士や、問題を追及し続けてきたジャーナリストらは身の危険を感じてきた。

先述した山口広弁護士によると、霊感商法の問題に取り組みはじめてから日に二〇〇〜三〇〇件の嫌がらせ電話がかかってきて、これが三週間続いたという。

また、自宅や事務所の周辺で山口弁護士の顔写真が載ったビラが一〇万枚以上まかれた。

代表世話人の河田英正弁護士も、自宅や事務所に無言電話が毎日、ほぼ同じ時刻にかかってくるという被害にあっている。寿司や果物が勝手に注文されたり、ホノルルまでの航空券やホテルの宿泊予約をされたり、自宅に遺体搬送車を勝手に呼ばれ「ご長男が亡くなったと聞いていますが」と言われたこともあったという。

これが反社でないなら、なにが反社なのか。

ちなみに「週刊文春」によると、韓国には統一教会教祖の文鮮明が残した「お言葉集」があるという。

そこには次のような言葉が並ぶ。

《岸（信介）首相は霊界に行っていますが（亡くなっているの意）、その次に福田（赳夫）首相です。福田は、私が首相にさせたのです。中曽根（康弘）も私が首相にしたんです》

《日本の政治、政界の有力者である首相の岸信介という人を（略）笹川のじいさんと組ませて、私たちの計画通り踊らせるようにしておいたんですよ》

《中曽根の時は（略）、一三〇人の国会議員を当選させ、二〇ある国会の委員会のうち、一三の委員会の長は、私が立てた人になりました》

《安倍晋太郎は私と契約書まで書いたのです。これを発表すると、世の中がひっくり返ります。その時の約束はというと、自分が首相になれば、八〇人から一二〇人の国会議員を連れて漢南洞（文氏の自宅があったソウルの地名）を訪問するということでした》

《金丸（信）は私と会う約束をして招聘した人です。約束した一週間後に銃撃事件が起きたのです。（中略）五メートルの距離で三発撃たれた銃弾は、体に一つもすれ違うことなく、どこかに行ってしまいました。その人が死んだら、私は日本に入れないのです》

《私に後援して欲しいということです。日本の官房副長官（当時）が安倍晋太郎の息子

なんですよ》

大口を叩き虚勢を張るのは統一教会の常套手段だが、すべてを捏造だと決めつけるのは早計だ。

これから述べるように、自民党と統一教会の間の闇は深い。

陰謀論に注意を喚起する陰謀論者

自民党、特に安倍晋三とその周辺が反日カルトと深い関係にあることが明らかになるにつれ、素っ頓狂なことを言い出す「言論人」が出てきた。安倍を美化、神格化しようとしていた連中が失敗し、パニックになったのだろうが、狼狽ぶりを名人芸の域にまで高めたのが三浦瑠麗だろう。

三浦はテレビ番組で、安倍を銃殺した山上徹也の動機について次のように述べる。

《世の中に宗教をめぐるトラブルはたくさんある》
《こういうことが起きて安倍さんが銃殺されましたということを、そのまま無批判に報じることが、ある種、安倍さんに責任の一端があるかのような印象操作になっている》
《因果応報的な言説っていうのが選挙期間中もちらほら出てきた》
《彼（容疑者）の妄想に加担してはいけない》

統一教会と安倍につながりがあることは客観的事実であり、山上の妄想ではない。安倍が統一教会の広告塔だったことを隠蔽するために、妄想を膨らませて、デタラメな言論を吐き続けたのは三浦である。

三浦は「本件は陰謀論の巣になりつつあります。誰それが『統一教会』だとか、信者だとか、黒いつながりだとか根拠なしに書き込むのは、ヒラリーに対して『児童売春組織』関与云々のデマを振り撒いたり、誰かを在日朝鮮人ではないかと書き込んだりするのと同様のことです。人権に対するリテラシーが必要です」とツイート。「根拠のない書き込み」が実在するなら具体例を挙げて批判すればいいだけの話。

ネッシーの写真を初めて掲載したことで有名な三流タブロイド紙「デイリー・メール」の記事を根拠に陰謀論を垂れ流し、シリア誘拐事件に関しデマを流し、近畿財務局職員の自殺について「人が死ぬほどの問題じゃないんですよ」と言い放った人権に対するリテラシーの欠片もない人間が、陰謀論と印象操作を批判するって、一体なんの冗談なのか？

「まあ、あと誤情報と陰謀論の跋扈。陰謀論とはファクトよりも直感に頼る態度です。数多くの誤情報や意図的な決めつけ、陰謀論が広がっていますね。自分は知的だ、自分は世間よりもモノがわかっていると自認する人ほど嵌まりやすい」ともツイート。面白すぎる。

それにしても、「サザエさん」レベルの慌てぶり。

「暗殺が起きた場合、まずは動機の解明と弧発事例かそうでないのかを見るもの。孤発事例だという感触がある程度得られたからこそ、選挙活動が再開できた。連鎖を防げるかどうかはまた別の問題で、一体何人の人が容疑者の意思を知っていたのかも重要。社会的要因の分析はこれらのことがわかってからだ」などとツイートしていたが、「弧発事例」などと漢字が間違っている以前に、日本語として意味不明。

過去のツイートも掘り起こされた。

「選挙前、黒人運動がヒラリーに敵対的であることはワシントンポスト紙の記事にも表れていました」と述べながら、統一教会系の新聞「ワシントンタイムズ」の記事を紹介。ネット上では「お壺ねさん」と呼ばれていたが、安倍政権下においては、このような人物が社会の表舞台に出てくるようになった。

"国難"を理由に「国葬に反対してる場合か」と言うバカ

中国の脅威が高まる中、あるいはロシアによるウクライナ侵攻で国際問題が噴出している中、「国葬に反対している場合じゃない!」と言い出す人々が登場した。意味不明で脱力する。

「国際問題と国葬の問題は何の関係もない。以上」で終わりである。それ以上は説明のしようがない。

ところがこの「何の関係もない話を持ち出して自説を正当化する」パターンは意外に多い。

たとえば、自民党と統一教会の関係を批判すると、「野党議員だって統一教会と関係していたじゃないか」と言い出したり。たしかに立憲民主党幹事長の岡田克也は、辻元清美が二〇一二年に統一教会の関連団体「世界平和女性連合」の勉強会に参加していたと公表（二〇二二年九月二七日）。岡田や安住淳も「世界日報」のインタビューを受けていたことがわかっている。大串博志の秘書は教団が関わる会合に出席して祝電も送っていたという。

不思議なのはそれを指摘することにより、なぜか勝ち誇ったような顔をしているネトウヨの思考回路である。もっとも、直接顔を見たわけではないので、想像の範囲だが、「立民だってやってるじゃねえか」とくってかかるような文章からもそれがわかる。

普通の人間だったら、「だったら自民党と一緒に批判しろ」と考えるのだろうが、なぜかネトウヨはそれが自民党擁護に繋がると思っているのである。直接聞いたわけではないが、文章の端々からもそれがわかる。

おそらくこの類のネトウヨは、統一教会問題は自民党を攻撃するための野党のネタとでも思っているのだろう。そうとでも考えないと、こうした政局に絡める頓珍漢な発想は出てこない。これは先生に叱られたときの小学生のテンプレ「○○君だってやっていた」と同じ。

「国葬を強行したら次は岸田を殺す」とツイートした人物が逮捕される事件があった。そのニュース記事を引用し、「こういう悪い奴がアンチ安倍の中にはいる」→「けしからん」→「したがって国葬は正しい」という意味不明なことを言い出す連中もいた。

頭の中が整理されていないというだけの話かもしれないが、こうした妄言が一度ネットで拡散すると、与えられたテンプレートに従うことしかできないネトウヨがさらに拡散させていく。

これにより、一定の〝世論〟が形成されてしまうのだからバカにできない。バカが伝染するスピードが加速したのが、「安倍的な」社会だった。

なお、「ネトウヨ」と呼ばれる連中は、「右翼」でもなければ「保守」でもない。

右翼思想の文献を読んでいるわけでもなく、保守主義に関する知識もない。ネトウヨは、「ネット上にウヨウヨいる情報弱者」の略。要するにバカ。

ネトウヨは「B層」とも重なる。「B層」は私がつくった概念ではない。二〇〇五年九月のいわゆる郵政選挙の際、自民党内閣府が広告会社「スリード」に作成させた企画書「郵政民営化・合意形成コミュニケーション戦略（案）」による概念だ。この企画書は「構造改革に肯定的でかつIQが低い層」「具体的なことはよくわからないが小泉純一郎のキャラクターを支持する層」をB層と規定している。要するに単なるバカではなく、構造改革に疑問を持たずに流されていくような人たちだ。「スリード」の企画書の趣旨は「構造改革に肯定的でかつIQが高い層」であるA層がB層を動かすことで、構造改革を進めていくというもの。政治に組み込むべきではないマーケティングの手法により、国民の存在を数値で捉え、プロパガンダにより動員する。そこには人間に対する侮蔑がある。

こうしたB層が「構造改革」に賛成し、国家に害を与え、かつての小泉政権を支え、安倍政権を支え、今は岸田政権を支えているのだ。

国葬に根拠はいらないと言い出すバカ

安倍の国葬問題、ネトウヨやアベウヨの類はいつもどおりの支離滅裂な発言を繰り返していたが、それなりの社会的地位にいる人間もおかしなことを言い出した。学力崩壊はもはや子供だけではなく、大学の教員にまで及んでいる。

早稲田大学教授の有馬哲夫は「国葬に反対している皆さん。理屈はどうでもよろしい。とにかくあなた方のやってることは日本人らしくないのです。日本人は死を悼み、礼をもって送る人びとなのです。死者を貶めるなど日本人のすることではありません」とツイート。

「理屈はどうでもよろしい」という人間に何を言っても無駄だが、安倍の葬式は二〇二二年七月一二日に東京の増上寺で終わっている。国葬反対派は、死を悼むことを否定しているわけではない。国費を投じた自民党の脱法的イベントに反対しているだけである。これは法治の問題だ。

東大名誉教授の平川祐弘は『週刊新潮』に掲載された「批判騒動には品がない」とい

う文章でこう述べる。

《国葬反対派は〝根拠がない〟などと主張しますが、そもそも長い年月、日本の総理を務めたという事実だけで、安倍氏は十分に国葬に値する方です》《安倍氏はいつも穏やかで、吉田（茂）氏のように誰かにコップの水を引っかけるような傲岸な真似もしない。それなのに、どうして国葬反対などという声が上がるのか私にはわかりません》

この文章こそわけがわからない。在任期間の長さと政治家としての評価は何の関係もない。長ければいいというなら、政権交代のない独裁政権がいいのか。

それ以前に、コップの水をひっかけることをしないから、国葬がふさわしいって論理性の欠片もない。

品がないのは葬式と国葬を意図的に混同して「日本人の死生観」とか言い出す連中である。

いろいろな意味で日本は一線を越えてしまった。

先日私が「元法相の河井克行は、地方議員らに金を渡す際、『安倍さんから』として配っていた。現金を受け取った繁政秀子・広島県府中町議は、『(自民党支部の女性部長に就いており) 安倍さんの名前を聞き、断れなかった。すごく嫌だったが、聞いたから受けた』と振り返った。『中国新聞』」とツイートすると、「デマだ!」というリプが返ってきた。

え?

出典を明記した上で記事を引用しただけなのに、ネットで検索すれば一瞬でわかることでも、それを否定する。そしてこのような事例はいまや珍しくなくなってきた。「理屈はどうでもよろしい」という人が、社会の一線で大きな声を出しているのである。戦後の腐敗の総決算が安倍政権だったとしたら、安倍の国葬はわが国の凋落を示す日本の葬式だった。

「なぜ創価学会にはなにも言わないのか？」と言うバカ

同じような例として「なぜ創価学会にはなにも言わないのか？」というのもある。統一教会を批判する記事を書くと、「他にも問題を起こした宗教はある」「なぜ統一教会のことだけ書いているのか」「なぜ創価学会については書かないのか」「適菜は公明党支持者ではないのか」……。ばかばかしいので一言で終わるが、「統一教会について書いている記事だから」。以上。

この類のバカは多い。

埼玉で発生した殺人事件についての記事に対し、なぜ大分の殺人事件のことは書かないのかとケチをつけるのと同じ。批判していないと支持していることになるのも謎。

ネトウヨの脳内では、安倍を批判する人間は「左翼」になるらしい。

世の中には上には上がいるし、下には下がいることは当然わかっているが、「人間ってなんだろうな」とたまに思ったりもする。

完全に明後日の方向から、デタラメな発言を繰り返す人々もいる。

元大阪府知事の橋下徹はテレビ番組で統一教会問題に関し「昨日も萩生田（光一政調会長）さんが『解散請求はしない。困難だ』と（言った）。僕はこれが法律的見解で、今までそれがごっちゃになって。信者の個別的な違法行為の話と教団の幹部たちが本当に違法な犯罪行為をしていたのか、このへんがごっちゃになった議論になっていた」「僕は旧統一教会を擁護するつもりはないですけど、感情的になってはダメです」「あくまでも旧統一教会の問題は個別に違法行為をただしていくでないといけない」と発言。現在、弁護士らが追及しているのは、統一教会幹部の違法性である。「ごっちゃになった議論」を続けているのは、どちらか。

自称脳科学者の茂木健一郎は「何度も書いているけれども、国葬や統一教会の問題は重要だが国政全体からするとせいぜい1％以下の重みだと思う。そんなことに国会の審議時間を使うセンスは全く理解できない。他に議論すべきことはたくさんあると思う」とツイート。国葬は葬式ではない。国費を投入したプロパガンダのための脱法イベントである。つまり法治の問題だ。また、反日カルトが日本の政治に食い込んでいた問題を「そんなこと」というセンスは全く理解できない。

自称国際政治学者の三浦瑠麗も平常運転。「今朝番組でコメントした、政治と統一協会との関係調査に対する食傷感。過去調査は政党が勝手にやればいいけど、有権者はずーっとこのニュースを聴いていたいかといえば、そんなことないんじゃないかという話」「政治不信の時代ですね」と発言。多くの人が食傷感を覚えているのは三浦の論点ずらしであり、政治不信が拡大しているのは、この類の連中が議論の前提をぶち壊してきたからである。

情弱を騙してカネ儲けする自称保守系月刊誌

ネトウヨは右翼でも保守でもない。逆に「近代的な価値を信仰するバカ」の集団である。だから郵政民営化にも飛びつくし、「もはや国境や国籍にこだわる時代は過ぎ去りました」などとウォール街で発言する安倍にも疑問を持つことはない。

現実を直視することから逃げ、自分たちに都合のいい夢に浸っていたいだけ。安倍がやったことは国や社会、法の破壊に他ならなかったが、この日本を三流国家に貶めた国賊に、黄色い声援を送ってきたのが自称保守論壇である。要するに、現在のわが国では「バカ」が保守を名乗っている。

今さらいうまでもないが、そもそも安倍の国葬で一番メリットがあるのが安倍を広告塔としてきた統一教会である。

安倍の国葬は戦後では吉田茂元首相、昭和天皇に続く三件目。教団とズブズブの関係にいた男が天皇に並べられるのだから、教団は笑いが止まらないだろう。

その程度のこともわからないネトウヨという情弱をターゲットにし、セコい商売をしているのが『Ｈａｎａｄａ』『正論』『ＷｉＬＬ』といった類の月刊誌だ。いわゆるビジネス保守である。

安倍と周辺の一味がやってきたのは、政治を私物化し、アメリカおよび財界の奴隷になることだった。私が一〇年前から指摘し続けてきたように、連中の正体は新自由主義勢力と政商とカルトの複合体である。

もっとも、いかがわしい人々が保守を自称するようになった責任は、左翼にもある。

たとえば、左翼はことあるごとに「安倍は危険な国家主義者だ」「安倍はヒトラーのような排外主義者だ」「極右で、保守反動だ」と批判する。しかし、すでに述べたとおり、「もはや国境や国籍にこだわる時代は過ぎ去りました」と言う国家主義者がいるわけはない。安倍は新自由主義勢力と財界の先兵として動いていたのであり、すべての行動は「国家の解体」で一貫していた。「排外主義者」どころか、世界が移民政策の失敗に気づき反省する中、国民を騙して移民を大量に日本国内に入れてきた。これが財界の要望に沿ったものであることは言うまでもない。

安倍の発言を見る限り、過去を美化するための前提となる歴史観すら存在しない。それ以前に歴史を知らない。

安倍の恩師で成蹊学園元専務理事の宇野重昭名誉教授は「(安倍には)もっと勉強してもらいたいと思います」「彼の保守主義は、本当の保守主義ではない」「自己を見つめ直し、反省してほしい」と述べている。

安倍が在学中、成蹊大学で政治思想史を教えていた加藤節名誉教授は言う。

《安倍さんを表現するとき、私は、二つの「ムチ」に集約できると思うのです。一つは

ignorantの『無知』、もう一つはshamelessの「無恥」です。「無知」についていうと、彼はまず歴史を知らない。戦後の日本が築いてきた歴史を踏まえていないんです。歴史はよく知らないから、そんなものは無視しても良いと考えているのではないでしょうか?》

《立憲主義とは、最高規範が権力を縛る、というのが基本的な考え方です。いまでいう最高規範は憲法ですよね。憲法が政策決定に影響を与えるのは当然のことなのです。しかし、安倍首相は自分の考えに同意する人物を登用し、反対する人はクビにしてしまう。つまり、安倍政権のやり方というのは、「法による支配」ではなく「人」による支配なんです》

「法による支配」は「法治主義」とは違う。「法治主義」は議会が制定した法律により統治が行われるべきという原理だが、「法の支配」は統治する側にも及ぶ。安倍が理解していないのはそこの部分だ。二〇一四年一〇月一九日、安倍は国際法曹協会の年次大会で「法の支配」についてスピーチ。

聖徳太子の「十七条憲法」を持ち出し、「人類愛によって結ばれ、助け合う人間が、合意によって作っていく社会の道徳や規範。それが法です」などと話し、参加した弁護士らの失笑を買った。

情報弱者のネトウヨが「安倍さんは偉大な政治家」と妄想を垂れ流すのと同様、左翼も安倍を過大評価しすぎると間違う。批判は的を射ていなければ意味がない。それどころか、ズレた批判は問題の本質を覆い隠し、病を拡大させてしまう。安倍は腐った社会が生み出した病を体現した卑小な男にすぎない。

「粛々と」と言いながら自分が一番うるさいバカ

したり顔をして「主義主張は違えど国葬は粛々と執り行うべきだ」と言い出した人たちもいた。

自民党安倍派の会長代理を務めた元文部科学大臣の塩谷立は、二〇二二年九月一九日に都内ホテルで開かれた安倍派の集まりの場で「政治家の死を悼むということで、粛々と行っていただくことを切に望みたい」とスピーチ。

国士舘大学客員教授で日本大学名誉教授の百地章は、国家儀礼としての国葬は粛々と執り行われるべきと産経新聞に寄稿した。

ネトウヨの百田尚樹は、演出家の宮本亞門にかみついた。宮本が自身に届いた安倍の国葬の案内状をＳＮＳにアップし、「もちろん私は行きませんが」と投稿すると、百田は「葬儀の案内状の封筒と中身をわざわざ写真に撮り、ＳＮＳにあげて、『俺は行かないよ』と喧伝するのは、社会人として恥ずかしい行為。著名な演出家らしいが、良識とマナーくらいは持とうよ」と難クセをつけた。

フジテレビ解説委員の平井文夫は「私たちは安倍晋三さんと静かにお別れしたいだけだ」と述べていたが、だったら静かにしていればいい。

結局、「粛々と」と言ってる連中が、一番大声で騒いでいたわけだ。

安倍とカルトのつながりを隠蔽するために、「安倍さんはカルトの敵だった！」「左翼メディアがテロリストを生んだ！」とわけのわからない話をはじめ、国葬に反対するのは反日などと言い出した。

百田が勘違いしているように国葬は葬式ではない。すでに述べたように、安倍の葬式は増上寺で二〇二二年七月一二日に終わっている。国葬は安倍の死を利用し、国費を投入したプロパガンダのための脱法イベントである。

国葬に反対している人々は、国権の最高機関たる国会を無視し、閣議決定だけですべてを決める手法を問題視したのである。

「信教の自由」と混同するバカ

「信教の自由」と混同するバカも大量に現れた。実に多くの評論家やジャーナリスト、政治家、ネトウヨが言い続けたが、問題は「政治と宗教」ではなくて「政治とカルト」である。

霊感商法などにより多くの被害者を出した反社会的カルトと自民党、特に清和会が長年にわたってつながっていたことが問題になっているのであり、「信教の自由」が否定されたわけでもない。

なにかの宗教を信じるのは個人の自由だし、宗教団体が特定政党を応援すること自体は法的には問題ない。しかし、それが反社会的な組織であれば別である。

タレントが誰と飯を食おうと個人の自由である。しかし相手が反社の人間であったら社会から批判されるのと同じだ。

仮にそのタレントが批判に逆切れして「世界人権宣言を知らないのか！　すべて人は、職業や考え方で差別を受けることなく、自由と権利を享有できるはずだ！」などと言い出したら、ドン引きされ、バカの烙印を押されるだけ。

しかし、この程度のことすら、自称保守連中は理解できない。反日カルトとつながる安倍という男を礼讃してきたのだから、恥知らずとしか言いようがないが、論理的思考能力もないようだ。

やっかいなのは、「信教の自由」という強力なワードを持ち出すと、一定数の人は騙されるか、反論を躊躇してしまうことだ。

第三章でも触れるが、統一教会との繋がりが指摘された自民党の山際大志郎が、事務所スタッフに対して加入している教団名を聞き取り調査したことがあった。それが報じられると、政治評論家の田崎史郎は、出演した情報番組で「繰り返すが私はテレビを見ないのでネットニュースでこのことを知った」「宗教差別につながる」「宗教によって差別しない（ことが重要）」「かなり重大な問題」と、調査を批判した。

要するに、頭の中が整理されていないということ。

しかし、田崎のような人物が全国ネットでこうした発言をすると、それがテンプレートとして拡散し、安倍信者やネトウヨ（情報弱者）が飛びつくという構造がある。

こうして歪（いびつ）な世論が形成され、それがまた新たなネトウヨを生んでいく。

日本が傾いた責任の一部はテレビのワイドショーにもある。

先述した山口広弁護士は東大駒場キャンパスで行われた「国葬を考える」というシンポジウムでこう述べる。

《統一教会は単なる宗教団体ではありません。いくつかの部門を傘下に持っていまして、それによって「地上天国」実現を標榜する組織でございます。どういう分野かといいますと、ファンドレイジング、資金をつくるための経済組織、経済部門。それから政治家に食い込んで政治を動かす部門。それからアメリカのワシントン・タイムズ、日本の世界日報は大したことありませんが、韓国の世界日報（セゲイルボ）とか、それなりの言論出版の雑誌、定期刊行物をたくさん出版しておりまして、こういう部門その他たくさんの部門があるんですが、それを傘下にもって「地上天国」を目指すという、こういう複合体の組織です》

《日本は秀吉の時代から朝鮮半島に侵略してきたと。明治以降、朝鮮半島を日本軍が占領して様々な韓国・北朝鮮に人権弾圧をしてきたと。その韓国人女性の怨念が、日本人の女性の子宮に取り憑いて子どもが生まれないとか不具の子どもが生まれるというそういうところまできているのだということを、文鮮明の今の妻のお母さん、文鮮明の熱狂的な信者であったのですが、その人が地上に降りてきてキム・ヒョンナムという天からの御言葉を伝える、「金持ちイタコ」みたいな女性がいるんですが、それに語らせるということをやっています》

《イエス・キリストは神が地上に遣わしたメシアだが失敗した。それを神様がそれを悲しんで地上に再臨のメシアということで遣わした。これが文鮮明なんです。そういうことで文鮮明あるいはその後継のハン・ハクチャは神が遣わした真のメシアだと。神が遣わした真のメシアの文鮮明あるいはハン・ハクチャが言うことは、神様の御言葉として受け入れなければならないと教えています》

《じゃあ国葬をするとどうなるか。統一教会の信者、統一教会の幹部は間違いなく喜びます。今、「安倍晋三先生は霊界の義人・聖人のいる高い位置にある」、統一教会の信者たちの中で間違いなくそう教えられています。その教えを今、国葬によって、日本国民全体が賛美した、認めたということになるんです》

案の定、安倍と周辺一味が、反日勢力だったというオチ。それを支えてきたのが自称保守論壇と恥知らずの乞食ライター連中だ。

ＴＢＳ「報道特集」が入手した資料によると、統一教会は二〇二〇年までに教団を日本国民の宗教とし、連携する国会議員を一五〇人から三六二人に増やし、そこから総理大臣、閣僚を選出することで「国を動かす」目的があったとのこと（二〇二二年九月二四日放送）。安倍の地元事務所には統一教会関係者が出入りしており、安倍は統一教会票の割り振りにも手を染めていた。ＵＰＦ議長の梶栗正義は「この八年弱の政権下にあって六度の国政選挙において私たちが示した誠意というものも、ちゃんと本人（安倍）が記憶していた。こういう背景がございました」と発言している。

安倍を礼賛し、統一教会問題を矮小化する工作員は同じ壺のムジナである。

「国葬」と「葬式」を混同するバカ

すでに述べたように国葬と葬式は別物である。それを知りつつ、意図的に混同する悪質な連中も現れた。「主義主張の違いがあるからと言って死んだ人の葬儀を邪魔するとはなにごとか」「日本人の伝統的な死生観に反する」などと言い出す人物だ。

国葬反対派は「葬式をするな」とは言っていない。死んだ人間に線香をあげるなとも言っていない。脱法的イベントである国葬について反対しているだけだ。

東京弁護士会は二〇二二年八月二日、伊井和彦会長の名前で次のような声明文を出している。

《一人の政治家の死を葬儀の場で悼むことは、主義主張に関わりなく行われて然るべきであるが、安倍元首相の葬儀は既に親族において執り行われている。それにもかかわらず、政府が敢えてそれとは別に、閣議決定により「国葬」という儀式を執り行う意味が、問われるべきである》

わずか数行のこの文章で、ほぼ言い尽くされている。

国会手続きを経ずに政権与党の独断で国葬が決まったことが問題なのだが、それを理解できない政治家や評論家連中は、これを混同したまま国葬参加を決めたりしていた。

《安倍さんとは主義主張は違ったが政治家として認めるところもあった。だから国葬に参加する》

《イデオロギーは違えど一人の人間が命を落とした。そこは国葬で静かに見送るべき》

このようなアホ発言も多かった。

蓮舫や辻元清美らがツイッターで「国葬欠席します」と投稿したことに対し、先述した三浦瑠麗はツイッターで「個人的には、お弔いにも出ないというのは冠婚葬祭からすら関係を切ろうとする『村八分』の論理のように思いますが」と安倍の国葬に関する野党の姿勢を批判。これにはSNSで総ツッコミが入っていた。村八分とは葬式と火事の「二分」以外の関係を切られること。つまり三浦は正反対の意味で理解していたわけだ。

さらには「あと、個々の議員が自分宛の招待状の写真をアップして欠席を表明するのは、はしたなく見えるのでやめた方がいいと思いますよ。余計なお世話ですが。ほんとにそんなことしても票は増えませんよ」とツイート。しかし、蓮舫自身が説明しているとおり「閣議決定だけで時の政権が国葬を決める、国権の最高機関たる国会を無視したこの決め方に反対」だからである。妄想を膨らませる「はしたない」人間はどこの誰なのか?

蓮舫は「安倍元総理とは予算委員会で何度も議論をしました。評価できることはもちろんあります。改めて故人のご冥福をお祈りします」とツイートした上で、「(国葬には)

法的根拠がない。国葬にする基準もない。時の政権の判断だけで決められる。国会の関与がない。税金を使う。さらには、元総理と統一教会の問題も（ある）」と述べている。

つまり、ごく普通の日本人の意見を代弁しているだけ。「日本人の伝統的な死生観に反する」などと頓珍漢なことを言っている連中が、常識外れだったという話。

「知らなかった」と言い張るバカ

「たしかにイベントや会合には参加したが、統一教会の関連団体だとは知らなかった」と言い出した連中は多い。統一教会の関連団体の名前を政治家やその事務所が知らないはずがないし、仮に本当に知らなかったら別の意味でヤバイ。

自民党の参議院議員である北村経夫は、統一教会の関連団体「天宙平和連合」が主催するイベントに出席し、壇上に昇って挨拶をしている。このとき、北村を紹介したのは同じく自民党の元内閣府副大臣、江島潔参議院議員だ。

この件を批判された北村は「関連団体とは知らなかった」と発言。北村は産経新聞の

北村経夫（1955〜）。産経新聞社退社後、2013年の参院選で初当選。安倍派に所属（写真：朝日新聞社）

元記者である。複数の記者クラブでキャップを務め、政治部長や論説委員、編集長なども歴任している。

新聞社の論説委員だった男が「天宙平和連合」を知らないとしたら、そういう新聞を読んでいる人間も知りようがない。団体の素性すら調べずに登壇したなら、ただのバカである。要するに、統一教会と関係があると認定されるのと、バカと認定されるのを天秤にかけて、後者のほうがダメージが少ないと判断したのだろう。

「統一教会との関係はなんとなく知っていたが、どれくらい深い関係があるかは知らなかった」というパターンもある。

自民党衆議院議員の鬼木誠は、県議時代の二〇一一年一一月、世界平和女性連合主催の留学生弁論大会に出席。審査員は鬼木の妻が務めたという。

これを指摘された鬼木は、「統一教会と関係があるようだとは聞いていた」「ただ、どれくらい深い関係か知らなかった。会自体にも宗教色がなかった」と釈明。

暴力団の新年会に参加した芸能人が「暴力団と関係があるようだとは聞いていた」「ただ、どれくらい深い関係か知らなかった。会自体も反社っぽくないおしゃれな感じのパーティーだった」と言い訳すれば通用するのか。

元参議院議員で統一教会問題に詳しい有田芳生が、二〇二二年七月二四日のツイートで次のように指摘している。


《統一教会の関連組織から、国会議員（事務所）に「取材があったら、知らなかったと答えてください」と連絡が行われている》

「有田芳生事務所」のアカウントは次のようにツイート。

鬼木誠（1972〜）。衆議院安全保障委員長。（写真：朝日新聞社）

《統一教会の内部文書。摘発されないために警察に力を持っている議員への工作や裁判対策費用が「毎月一億円」。これらは霊感商法や信者たちからの献金です。カルト宗教は一般の宗教とはちがいます。「宗教と政治」ではなく今のテーマは「統一教会と政治」。そこを曖昧にしてはいけない》

警察や検察の捜査について、元参議院議員の舛添要一も記している。舛添はかつて、衆参両院の選挙活動に駆り出された際、いわゆる右寄り議員の集会に勝共連合の人間たちが大挙して応援に駆けつけていたのを何度も見たという。

そのうえで「こうして、政権党に食い込んでいった統一教会は、検察の捜査の対象から外されるという大きな成果を得ているのである」とツイート。

要するに、摘発されないために自民党の議員とつながり、さらにはメディアの取材には知らないフリをしろというお達しがあったということだ。

罪を犯して捕まった犯人が、取り調べで「覚えてない」「知らない」と言い張っても通用しない。

しかし、こうした問題は、ひたすら時間を稼げば、メディアも世論も騒がなくなる。実際、メディアで世論誘導をはかる工作員の類が、「いつまで統一教会問題をやるのか」「もう飽きた」というテンプレートを流し始めた。

あれだけ世論を賑わせた森友・加計問題も、桜を見る会事件も、何も解決されていないのにもかかわらず、放置されたままだ。

先述したように安倍主催の桜を見る会には、統一教会の関連団体「世界戦略総合研究所」の小林幸司事務局長が招待されていたが、小林はその理由について「（総裁選で安倍を）応援したからですかね」と平然と述べている。

安倍はおそらく、長期政権の中で学んだのだろう。どれだけ無茶苦茶なことをやっても、最終的には世間は忘れてくれると。それが安倍の成功体験となり、行動原理となった。

岸田文雄もその流れを引き継いだ。国会軽視、手続き軽視の国葬の強行はそれにあたる。

社交辞令としての弔辞を真に受けるバカ

二〇二二年九月二八日、イギリスのメイ元首相と岸田文雄が会談した際、メイは安倍は「偉大なリーダーだった」と弔意を示し、「安倍元首相との間で相互の訪問などを通じて日英関係を大きく発展させることができた」とコメントした。

アメリカのバイデン大統領は「友人の安倍晋三元首相が銃撃され亡くなったというニュースに、驚愕し、憤慨し、深く悲しんでいます。彼は日米国民の友情の擁護者でした。アメリカはこの悲しみの時に日本と共にあります」という趣旨の文章をSNSに投稿。

インドのモディ首相は「安倍晋三元首相への深い敬意の印として、二〇二二年七月九日には国として喪に服します」という趣旨の文章を投稿した。

イギリスのボリス・ジョンソン元首相は「安倍晋三元首相に関する非常に悲しいニュースです。未曽有の時代に彼が発揮したグローバルなリーダーシップは、多くの人々の記憶に残るでしょう。安倍晋三元首相のご家族、ご友人、そして日本国民の皆さまに思いを寄せています。英国はこの暗く悲しい時にあなた方と共にあります」と日本語でツイートした。

岸田は国会で「海外からの弔意を見ますと、合わせて一七〇〇を超える多くのメッセージを頂いております」「(その) 多くが日本国民全体に対する哀悼の意を表する趣旨であるということからも、葬儀を国の儀式として実施することで、日本国として海外から多くの敬意や弔意に礼節をもって答える、こうした必要もあると考えた次第であります」と発言。

意味不明。

弔辞とはお悔みの言葉である。追悼なのだから、安倍を称えるのは当たり前の話。社交辞令としての弔辞を真に受けて、「外国からも評価されている」とか言ってしまうから、いつまで経ってもネトウヨなんだろうけど。

しかも国葬が「海外から多くの敬意や弔意に礼節をもって答える」ことになるというのは、屁理屈にもなっていない。だったら吉田茂を除くこれまでの歴代総理が死んだときは弔意に礼節をもって答えていなかったのか。

結局、こうした歪んだ思考回路の人たちが、安倍という歪んだ政治家を担ぎ上げ、政治における「手続き」を歪めてきたのだ。

安保法制においては、安倍は、お仲間を集めて有識者懇談会をつくり、そこで集団的自衛権を行使できるようにお膳立てをしてもらってから閣議決定し、「憲法解釈の基本的論理は全く変わっていない」「アメリカの戦争に巻き込まれることは絶対にない」「自衛隊のリスクが下がる」などとデマを流し、法制局長官の首をすげ替え、アメリカで勝手に約束してきて、最後に国会に諮り、強行採決した。しかもその際に首相補佐官の礒崎陽輔が「法的安定性は関係ない」と発言している。

これは議会制民主主義へのテロ行為に他ならない。

権力を私物化し、国家、社会、法にとりかえしのつかないダメージを与えた。

安倍が地上から消えても、その残党や「安倍的な空気」を日本は今でも引きずっている。

社会の劣化を促進させているのは、本章で紹介してきた「思考回路がおかしい人々」である。

第3章　いかがわしい政治家

安倍晋三

「UPF（天宙平和連合）の平和ビジョンにおいて、家庭の価値を強調する点を高く評価いたします。偏った価値観を社会革命運動として展開する動きに警戒しましょう」

二〇二一年九月一二日、安倍晋三は天宙平和連合（UPF）が韓国で開催したイベント「THINK TANK 2022希望の前進大会」にビデオ登壇し、団体への賛美と総裁の韓鶴子を激賞するオンラインメッセージを送った。

UPFとは統一教会の開祖である文鮮明と、その妻の韓鶴子が二〇〇五年に米ニューヨークで創設したNGO組織である。

左胸に議員バッジをつけた安倍が、「今日に至るまでUPFとともに世界各地の紛争の解決、とりわけ朝鮮半島の平和的統一に向けて努力されてきた韓鶴子総裁をはじめ、皆さまに敬意を表します」と発言する姿が、会場のスクリーンに約五分間大写しされた。

霊感商法により多数の被害者を出しているカルト組織に、一国の元総理が祝電を送ること自体狂っているが、さらには統一教会の「家庭の価値観」を賛美し、偏った価値観を「警戒しましょう」と述べているのには寒気すら覚える。

統一教会の関連団体である勝共連合はＹｏｕＴｕｂｅで以下の三点を改憲の優先課題として掲げている。

①緊急事態条項の創設
②家族条項の創設
③九条への自衛隊の明記

安倍の主張および自民党の改憲案とほぼ同じ内容だ。

注視すべきは安倍と統一教会が安全保障だけでなく、「家族条項」という国民の根幹にかかわる価値観を共有していることだ。

統一教会が描く「理想の家庭像」については、文鮮明の発言集「天聖経」に以下のとおり示されている。

「今、アメリカでレズビアンやホモセクシャルやゲイのようなものが起きています。それは罪です。罰を受けなければなりません。これは自分勝手な愛です。すればするほど破壊されていくのです。（中略）人間がそうなる時はこの人類が滅亡するのです」

こうした思想が日本の政策に色濃く反映されてきたのは事実だ。

ちなみに、小泉政権時代の二〇〇四年、東京都教育委員会は「ジェンダー・フリー」というワードの使用を禁止し、内閣府が自治体にその旨の通達を出している。

この時期、自民党で「過激な性教育・ジェンダーフリー教育実態調査プロジェクトチーム」の事務局長を務めたのが、元国家公安委員長で反ジェンダーフリー急先鋒の一人である山谷えり子、そして座長が党幹事長代理の安倍だった。

安倍は、内閣府が二〇〇五年に第二次男女共同参画基本計画を立案した際、「ジェンダー」という言葉を使わないよう山谷とともに強く求め、二〇二〇年には選択的夫婦別姓の文言も基本計画から削除した。

もちろん、ジェンダー論争においては様々な意見があるのは当然。安倍が個人として心の中にどんな理想を抱こうが勝手だ。しかし、国家の中枢にいる政治家が、その考えを政策として実行に移す際にカルトの影響があったら問題外だ。

自民党の野田聖子は二〇二二年一〇月四日、超党派の女性議員らでつくる「クオータ制（議員などの女性の割合を一定数に定めて積極的に起用する制度）実現に向けての勉強会」の席で、「宗教右派が自民に相当影響を与えてきた」とする辻元清美の発言に対し、次のように答えている。

《わたし自身は政策が違うのでわからなかった。こういう団体がいたから、こういう流れが自民の中に一部の人だけどあったんだな》

他人事のように言ってる場合ではない。

野田は二〇一七年に男女共同参画担当大臣を務めた人物である。知らないで済む話ではないし、知らないはずもない。

しかも「一部の人だけ」の問題ではない。

自民党所属国会議員三七九人のうち半数近い一八〇人に統一教会との接点があったのだ（二〇二二年一一月四日時点で判明している数）。

安倍が自ら描く理想の政策を実現するために、統一教会を「うまく利用した」と評する声がいまだにある。しかし、そもそも安倍はカルト体質の人間だ。絡んでいたカルトは統一教会だけではない。

だからこそ、カルトは安倍と安倍周辺につけこんだのである。

それを示すエピソードをＴＢＳ「報道特集」が伝えている。

番組には、安倍家と五〇年にわたり親交があるという元共同通信・自民党担当キャップの野上忠興が出演。安倍の母・洋子が二〇二二年七月の参議院選挙の前、安倍に「あんまり深く（統一）教会と関わらないほうがいいわよ」と心配していたという話を、周辺関係者から聞いていたという。

母親が傍で見ていて心配するほど、第二次政権以降、安倍は統一教会にのめり込んでいた。

全国霊感商法対策弁護士連絡会は二〇二一年九月、安倍が統一教会の広告塔となり、他の多くの議員らもカルト勢力の活動にお墨付きを与えていることを憂慮し、安倍に公開抗議文を送付している。しかし、安倍の国会事務所は受け取りを拒否。山口県内にある地元事務所の返答もなかった。

同連絡会の山口広弁護士は「日刊ゲンダイ」の取材に対し、「安倍政権になってから若手の政治家が統一教会のイベントに平気で出るようになった。それまでは政治家が参加しても名前は出さないとか、統一教会側も名前を伏せて『衆議院議員が参加してコメントした』と言っていたが、最近は若手の政治家が大手を振って参加してコメントするようになった」と語っている。

さらにその理由について次のように述べている。

《統一教会と近いと分かった政治家は、安倍政権で大臣や副大臣、政務官に登用される傾向が顕著になった。大臣や政務官に登用されるためには、統一教会と仲良くし、協力関係にあった方が、早く出世できるという認識が（政治家の中に）浸透し始めたのです。

これはマズいということで、全国会議員に『統一教会と協力関係になるのはやめてください』と要望しました。それぐらい、安倍さんが統一教会と仲良くすることに開き直るというか、顕著なものがあり、憂慮していました》

欧米では「靴を磨けば出世する」と言われるが、自民党では「壺を磨けば出世する」。同連絡会の弁護団は、第二次安倍政権が発足した二〇一二年一二月以降、それまで相次いでいた教団関与の刑事事件が極端に減ったことを挙げ、教団に対する警察捜査に安倍政権が政治的圧力をかけていた可能性にも言及している。

安倍がわが国に与えたダメージはあまりにも大きい。

岸信介

「文尊師は、誠実な男であり、自由の理念の促進と共産主義の誤りを正すことに生涯をかけて取り組んでいると私は理解しております」
「彼の存在は、現在、そして将来にわたって、希少かつ貴重なものであり、自由と民主主義の維持にとって不可欠なものであります」

敗戦後にA級戦犯として収監されながら復権し、総理大臣になった「昭和の妖怪」こと岸信介は、安倍晋三の祖父である。晋三の父、晋太郎（岸の娘婿）も含めた安倍家三代と統一教会との関係については、すでに多くのメディアが報じている。統一教会と自民党の関係も今に始まった話ではない。

岸が首相になったのは一九五七年。統一教会が日本国内で布教をはじめたのはその翌年からとされる。

岸信介（1896～1987）。第56・57代内閣総理大臣。東條英機内閣では重要閣僚であったことから、戦後A級戦犯として3年半拘留された（写真：朝日新聞社）

統一協会が宗教法人として認可を受けたのは一九六四年七月。同年一一月に本部を東京都渋谷区の岸信介宅の隣に移転している。両者の蜜月ぶりがうかがい知れる。

一九六八年には反共を掲げる政治組織「世界反共連合」の日本支部を設立。岸はこのとき会員に加わったとされる（一九七六年一〇月二一日の第七八回国会参議院外務委員会の議事録より）。

日本支部の名誉会長に就いたのが日本船舶振興会会長として知られた笹川良一である。岸と笹川はともにA級戦犯として収監され親密な関係にあった。

一九六五年頃から勝共連合が一貫して目指したのが、自主憲法の制定とスパイ防止法の成立だ。

機関紙「思想新聞」でその主張が展開される際、常に記事中には岸の顔写真と発言が使われた。

郵便はがき

お手数ですが
切手を
お貼りください

1 5 0 - 8 4 8 2

東京都渋谷区恵比寿4-4-9
えびす大黒ビル
ワニブックス書籍編集部

お買い求めいただいた本のタイトル

本書をお買い上げいただきまして、誠にありがとうございます。
本アンケートにお答えいただけたら幸いです。
ご返信いただいた方の中から、
抽選で毎月５名様に図書カード（500円分）をプレゼントします。

ご住所 〒 TEL（　　　-　　　-　　　）	
（ふりがな） お名前	年齢 歳
ご職業	性別 男・女・無回答
いただいたご感想を、新聞広告などに匿名で使用してもよろしいですか？（はい・いいえ）	

※ご記入いただいた「個人情報」は、許可なく他の目的で使用することはありません
※いただいたご感想は、一部内容を改変させていただく可能性があります。

●この本をどこでお知りになりましたか?(複数回答可)

1.書店で実物を見て　2.知人にすすめられて
3.SNSで(Twitter：　Instagram：　その他　)
4.テレビで観た(番組名：　)
5.新聞広告(　新聞)　6.その他(　)

●購入された動機は何ですか?(複数回答可)

1.著者にひかれた　2.タイトルにひかれた
3.テーマに興味をもった　4.装丁・デザインにひかれた
5.その他(　)

●この本で特に良かったページはありますか?

●最近気になる人や話題はありますか?

●この本についてのご意見・ご感想をお書きください。

以上となります。ご協力ありがとうございました。

一九七四年五月七日、帝国ホテルで開催された文鮮明の講演会「希望の日晩餐会」では、岸が名誉実行委員長を務めている。文鮮明が主催する様々なイベントや会議で岸はスピーチした。

岸がロナルド・レーガン大統領へあてた親書がある。

二〇二二年七月二九日付デイリー新潮の記事によると、これはカリフォルニア州にあるロナルド・レーガン大統領図書館のファイルから発見されたもので、親書の日付は一九八四年一一月二六日。以下、記事から一部抜粋する。

《大統領、今日は、貴殿にお願いがございます。貴殿もお知り合いの可能性があると思われる人物、文鮮明尊師に関するものです》

《文尊師は、現在、不当にも拘禁されています。貴殿のご協力を得て、私は是が非でも、できる限り早く、彼が不当な拘禁から解放されるよう、お願いしたいと思います》

このとき、文鮮明は脱税容疑で逮捕され、懲役一年六カ月の実刑判決を受け、連邦刑務所に収監されていた。脱税で捕まったカルト教団の「尊師」を逃がすために日本の元首相が現職のアメリカ大統領に働きかけるって、異常としか言いようがない。

岸信介の親書はさらに続く。

《彼（文鮮明）の存在は、現在、そして将来にわたって、希少かつ貴重なものであり、自由と民主主義の維持にとって不可欠なものであります。わたしは適切な措置が取られるよう、貴殿に良き決断を行っていただけますよう、謹んでお願いいたします》

裁判で正式に実刑判決が出たのだから「適切な処置」は行われている。法を無視することが「自由と民主主義の維持にとって不可欠」というなら、こうしたデタラメぶりは、確実に孫の晋三に受け継がれたのだろう。

この親書を受け、一応は協議をしたという米政府だが、超法規的措置はさすがにとられず、文鮮明は判決どおりの一九八五年に釈放された。

福田赳夫

「文鮮明氏の話を聞いたが、その話自体、私の聞いたところでは、私の言っている協調と連帯、この精神を強調されておりまして、ははあ、私の考え方を韓国の人にもちゃんと支持し、また主張してくれる人があるなと思って、まあ聞いておったということはありますが、それだけの話でありまして、別に文鮮明氏とそれ以上のつき合いはありませんです」

岸に次いで統一教会と深い関係にあったとされる元総理が福田赳夫である。話し方の特徴から当時の政治記者たちからは「アーウーの大平」に「ホーホーホーの福田」などとも呼ばれた。

福田が立ち上げた派閥「清和会」は、岸の派閥「十日会」が源流。後に娘婿の安倍晋太郎（晋三の父）が継ぎ、これが現在の安倍派へとつながっていく。

第二章でも述べたが、文鮮明が残した「お言葉集」に福田に言及した箇所がある。

《岸（信介）首相は霊界に行っていますが、その次に福田首相です。福田は、私が首相にさせたのです。中曽根も私が首相にしたのです》

福田は大蔵大臣だった一九七四年五月七日、帝国ホテルで開かれた文鮮明の講演会（名誉実行委員長は岸信介）に出席し次のようにスピーチ。

《アジアに偉大な指導者現る。その名は文鮮明である》

《今日は文先生から『お前らは神の子である』という激励を受けまして、少し何かえらくなったような感じもいたします。私は『この神の子である』というのは、世の中のために大いに奉仕していく。またそういう気持ちになった日本人個々を育て上げなさいと、こういうことであろうと受け取りました》

これは国会でも問題視され、一九七八年五月一二日の衆議院決算委員会で日本共産党の安藤巌が福田を直接追及している。

議事録を見ると、安藤はかなり正確に統一教会のカルト性を捉えている。統一教会の実体を知るうえで重要で本質的な内容なので少し長いが引用する。

《総理（編注：福田赳夫）は文鮮明という人物に関心を持っておられるようですが、この文鮮明の主張に従っていろいろ活動している団体が日本にあるということは御存じのとおりであります（略）彼の主張が『原理講論』という本にまとめられております（略）とんでもないことが書いてあるのです。「日本は代々天照大神を崇拝して来た国として、その上全体主義国家として再臨期に当っており、」「サタン側の国である」悪魔の国だ。「したがって端的にいってイエスが再臨さ

福田赳夫（1905～1995）。第67代内閣総理大臣。大蔵大臣、外務大臣等も歴任（写真：朝日新聞社）

れる東方のその国とはまさに韓国である」（略）「韓国は男性の国だ、日本は女性・産業の国だ。婚姻の成約ができれば、女性から男性に対して結納品を納めるべきだ。だから日本が産業経済を男性である韓国に結納として納めるべきだ」これは彼らの出版物に載っているわけです。笑いごとじゃないですよ（略）「あらゆる民族の言語が、一つに統一されなければならない」「イエスが韓国に再臨されることが事実であるならば、」「韓国語はまさに祖国語となるであろう。したがってすべての民族はこの祖国語を使用せざるを得なくなるであろう」こうです》

安藤は「総理はこの主張に賛成なさるのですか、賛成なさらないのですか。一体どちらでしょう」と問いただしたが、これに対する福田の答弁が冒頭の発言である。

福田は「わたしは政治家ですから、宗教家のいろんな言うことについて言及をするということは避けます。お答えはいたしません」とゼロ回答を宣言。

文鮮明と交わした会話の内容についても「パーティーや宴会ではちょっと輪をかけて話すんです。そのような環境のもとにおいて話したことで、そんなものを一々取り上げてそれを御質問されても、お答えすることはできない」。

世の中と議会をナメくさったこの種の対応を「老練」とか「狡知」と評してはならない。

福田達夫

「ぼく自身が個人的に全く関係がないので、なんでこんなに騒いでるのか、正直よくわからない（苦笑）」

「なにか本当に明確にですね、わが党が組織的に、ある団体から強い影響を受けて、それで政治を動かしているのであれば問題かもしれませんけど、申し訳ない、ぼくの今の理解の範疇だとそういうことが一切ないので。ただ単に、信じてる方の母体が統一教会に関するところだった、というくらいのことで、（それが）問題であるとか、自民党がそこの団体のですね、影響を受けて政治を動かすというような誤解を招くようなことだけはしてほしくないなと思いますし、お相手の方もだいぶご迷惑なのかなと正直思っております」

「正直いいます。何が問題なのか、ぼくはよくわかんないです」

福田達夫は福田赳夫の孫。党三役の総務会長を経て副幹事長のポストにいる（二〇二二年一一月四日現在）。父の康夫は安倍の第一次政権を継いで総裁に就任。赳夫に続き父子二代の内閣総理大臣となったわけだが、在任期間はわずか三六五日と短かった。

冒頭の達夫の発言は総務会長として対応した二〇二二年七月二九日の会見だが、どこからツッコめばいいのか難しい。「わが党が組織的にある団体から強い影響を受けて、それで政治を動かしているのであれば問題かもしれませんけど」って、組織的にある団体から強い影響を受けている疑惑が問題になっているのである。

安倍が議員バッジをつけてビデオメッセージまで送っているのに、「ぼくの今の理解の範疇だとそういうことが一切ない」と、頭が悪いことを自白。

何が問題なのかわからないというが、その「お相手の方」は、霊感商法を組織的に展開し、強引な勧誘で社会問題を引き起こしてきた文鮮明の「み言葉」を記した「聖本」を一冊三〇〇〇万円で四冊も五冊も売りつけ、信者の財産を収奪してきた。

二〇二一年一二月までの三四年間で相談件数が三万四五三七件、被害総額が約一二三七億円に達し（それも氷山の一角）、「金銭収奪型のカルトにおいてこれだけ長期間かつ

福田達夫（1967〜）。自民党副幹事長。同党総務会長等を歴任。父は元首相の福田康夫（写真：朝日新聞社）

大規模に問題となった教団はほかにない」（全国霊感商法対策弁護士連絡会の会見）。

「何が問題なのか、ぼくはよくわかんないです」という感覚がわかんない。

案の定、この発言は批判を浴び、福田はその日の夜のうちに釈明文書を発表したが、これがまたふるっている。

「わが党が、組織的に、党外の団体から強い影響を受け、それで政治が動くのであれば問題ですが、私の理解では、そのようなことは一切ありません。ただ、党としての問題ではなく、個人として、なにか抜き差しならない関係になっていて、その結果、その方の政治活動に非常に大きい影響を与えているのであれば、それは問題と思います」

「一部から御質問をいただいているような、そのような団体との付き合いについて『何が問題かわからない』という趣旨の発言ではございません」

SNS上では「釈明すら意味不明」と炎上が加速した。バカの上塗りである。

萩生田光一

「今回ですね、正直申し上げて、統一教会の昭和の時代の『関連（編注：霊感の誤り）商法』などのことは承知をしておりましたが、その後、悪い噂を聞くこともなかったですし、そういった報道に接することもなかったですから、正直申し上げてその団体と統一教会の関係というのは、ま、名称は非常に似てますので、そういう思いはあったんですけど、あえて触れなかったっていうのが、正直なところです」

安倍の腹心として、「ポスト安倍」と言われてきた萩生田光一。二〇二二年一一月現在は政調会長という要職にある。カルト総理のお気に入りだっただけあり、統一教会とのつながりにおいても他の追随を許さない。

元八王子市議の萩生田は、二〇〇三年の衆院選に東京二四区から出馬して初当選。しかし、二〇〇九年の衆院選では民主党候補に敗北し、比例でも復活できずに落選した。

二〇一二年の衆院選で返り咲くまでの浪人期間は約三年。その間はあの加計学園が運営する千葉科学大学危機管理学部で客員教授を務めた。

萩生田は浪人時代、八王子にある世界平和統一家庭連合（統一教会）の教会を月一〜二回のペースで訪れ、「信仰で選挙に勝たせてほしい」などと講演で信者に呼びかけていた。元信者の証言によると、萩生田は登壇して説教も行い、教祖の文鮮明と韓鶴子を「御父母様」と呼び、「あなたたちの信仰で、日本の未来がかかっている」「私（萩生田）も御父母様の願いを果たせるように頑張る」「一緒に日本を神様の国にしましょう」などと語っていたという（TBS「報道特集」二〇二二年八月二〇日放送）。

萩生田は当初「二〇〇九年から一二年の間に、毎月二回教会を訪れて私が講演をしたり、青年部の皆さんに説教していたと書いてあるんですけど、こういう事実は全くありません」と否定したが、「報道特集」は、二〇〇九年から二〇一二年の間に、萩生田が統一教会の青年部の若者らを相手に、講演を行っていたという記録を入手。

萩生田を講師に依頼した事実を示すメールや、信者に配布された「講師：萩生田光一」の名が記載されたレジュメ、当日の様子を紹介する団体関係のブログに萩生田と見られる人物の写真もアップされていた。

二〇一四年には統一教会多摩東京教区が八王子で開催したイベントに来賓として参列していたことも当日のパンフレットなどから判明している。

嘘がバレて追い詰められた萩生田は、二〇二二年八月二〇日、記者のぶら下がり取材で、冒頭のセリフを述べたのだった。

萩生田は二〇一九年七月二〇日、参院選の応援で訪れた秋葉原の街頭で、ジャーナリストの鈴木エイトから勝共連合との関係について聞かれると、「最近（勝共連合は）地元（八王子）ではあんまり動いてないしね」と答えた後、「地元では平和女性連合とかの会合なんかで留学生のスピーチコンテストそういうのには出ています」と、聞かれてもいないのにズブズブであることを自白。

さらに「最近はもう壺も売ってないしね」と発言。

萩生田光一（1963〜）。自民党政調会長。経済産業大臣、文部科学大臣等を歴任（写真：朝日新聞社）

つまり勝共連合と統一教会が同一の組織であり、霊感商法で問題を起こしてきたことを知っていたうえでの一連の行動である。

萩生田は二〇二二年の参議院選挙公示直前には生稲晃子と一緒に統一教会の施設を訪問し支援を要請している。

紛れもない安倍の後継者だ。

菅義偉

「総理、あなたの判断はいつも正しかった」

本当におぞましいものを見た。安倍の「国葬」における菅義偉の弔辞である。これは、国費を投入したプロパガンダのための脱法イベントである。菅の弔辞はネットなどでは「エモーショナル」「感動的」などと称賛の声が上がっていたが、安倍を神格化し、悪事を隠蔽するためのカルトの祭典にすぎない。

菅の弔辞によれば安倍は「いのちを失ってはならない人」であり、その判断は「いつも正しかった」とのこと。安倍は生前「私は総理大臣ですから、森羅万象すべて担当しております」「全く正しいと思いますよ。私は総理大臣なんですから」などと述べていたが、菅の弔辞はこれに対応しているのだろう。

特定の人物を崇め奉り、正義を独占する勢力が人類を地獄に導くことをわれわれは歴

菅義偉（1948〜）。第99代内閣総理大臣。内閣官房長官、総務大臣等を歴任（写真：朝日新聞社）

史に学んできたのではなかったのか。政治の役割はこうした狂信的な集団を排除することにある。なお、安倍は死後、自民党の議連「保守団結の会」の永久顧問に就任したとのこと。

菅の妄言は続く。

「総理、あなたは、今日よりも、明日の方が良くなる日本を創りたい。若い人たちに希望を持たせたいという、強い信念を持ち、毎日、毎日、国民に語りかけておられた」

安倍は自分が気に入らない人々に「こんな人たち」と罵声を浴びせ、都合が悪くなると国会から逃げ回った。内閣府の調査では将来に希望を持てない若者のほうが多い。

さらに菅は恥知らずにも北朝鮮の拉致問題をとりあげ、安倍は「信念と迫力」に満ちていたという。ではその「信念」とやらは貫かれたのか。安倍は支持を集めるために拉致問題を利用した挙げ句、二〇一八年には「拉致問題を解決できるのは安倍政権だけだと私が言ったことはありません」と言い放った。

安倍の二度目の総裁選出馬を促したのも菅だ。

「私はこのことを、菅義偉生涯最大の達成として、いつまでも、誇らしく思うであろうと思います」

安倍が善政を行ったならそういう言い方も成り立つが、安倍がやったのは国家と社会と法の破壊だった。安倍は「私は立法府の長」と国会で四回も繰り返し、司法府への介入も進めていた。菅の弔辞は、その「共犯者」による国民を愚弄した「勝利宣言」だった。

岸田文雄

「これからこの団体と関係をしっかり絶つことが何より大事だ」

対応の遅さを見せつけ、緊張感の欠片もない答弁を繰り返したのが岸田文雄である。

「政治家の立場からそれぞれ丁寧に説明していくことが大事だ」

「重く受け止めている」

「チェック体制を強化する」

「被害者の救済にしっかり取り組む」

毒にも薬にもならない薄っぺらい言葉を並べる一方、具体的な話も期限についても出てこない。

二〇二二年一〇月一三日、ＢＳフジの「プライムニュース」に出演した岸田は「社会的に問題が指摘されている団体と関係があったことについて謙虚に反省する」と述べたうえで、「これからこの団体と関係をしっかり絶つことが何より大事だ」と語った。

すでに指摘したように「この先、反社やカルトとは付き合わない」と言って許されるわけがない。

これまで反社やカルトと付き合ってきたことが問題なのだから。

やらなければならないのは、事実の究明、および反日カルトとつながっていた安倍晋三とその周辺の正体を明らかにすることである。

殺人犯が「これからはなるべく殺人は差し控えるようにする」と言えば許されるのか。

岸田文雄（1957～）。第100・101代内閣総理大臣。外務大臣等を歴任（写真：朝日新聞社）

これまでの岸田の発言を見る限り、問題の本質を追求するのは避け、騒動が沈静化するのを待っているだけに見える。党所属国会議員三七九人中一八〇人に統一教会との接点が確認されたとする調査結果が公表された。こうした議員を排除したら、自民党は成り立たなくなるので、これまでのことはシラを切って「これからは」と繰り返すのだろう。

一〇月六日の参院本会議で、宗教法人法に基づく解散命令請求について問われると、岸田は「信教の自由を保障する観点から判例も踏まえて慎重に判断する必要がある」「宗教団体に法令からの逸脱行為があれば厳正に対処する」と答弁。

要するになにもやらない。

安倍派を敵に回す気概もない。

すでに指摘されているとおり、統一教会に解散命令が出ても、信教の自由は侵害されない。岸田はそれをわかって言っている可能性が高い。非常に悪質である。

山際大志郎

「（韓鶴子と）わたしどこかで会ったなぁ、というのは覚えてたんですけど、それがどこだったかってわからない以上ですね、それがどこだったかってわからないという状況で、その話をするのは、不正確なので、お話をしなかった、ってことですよね」

二〇二二年一〇月二四日、統一教会との関係をめぐり、野党の追及を受けてきた山際経済再生担当大臣がやっと辞任した。統一教会との接点を示す証拠が次々と出てきて、そのたびにデタラメな釈明と記憶喪失のふり。

統一教会関係のイベントには数多く出席。

二〇一六年七月二八日から三一日にかけて、天宙平和連合主催の国際指導者会議がネパールのカトマンズで行われたが、山際は自民党衆議院議員の山本朋広とともに参加している。

これは岸田内閣改造後、大臣留任が決まってから発覚した。つまり、バレるまで黙っていたわけである。

二〇二二年八月一〇日の会見で、どのようなイベントにいつ何回ほど出席したのかと問われると、「事務所で調べましたところ、二〇一八年一〇月のアフリカビジョンセミナーへの出席が確認されました」と答え、このときもネパールについて触れていない。

山際大志郎(1968〜)。岸田内閣で経済再生担当大臣を務めるも、2022年10月に辞任(写真:朝日新聞社)

しかし、顔が映りこんでいるネパールでの画像や動画が見つかった。

結局、九月二五日の記者会見で、統一教会との関係について「率直に反省し、今後は一切関係を持たないよう行動する」と発言。「二〇一六年、一九年に関連団体のイベントに参加したか」と記者から問われると「報道を見る限り、出席したと考えるのが自然だと思う」と述べた。

完全に他人事。

その後、二〇一八年七月一日の統一教会による「日本宣教六〇周年記念二〇一八神日本家庭連合希望前進決意二万名大会祝勝会」の映像にも顔が映りこんでいることが判明。さらには教団トップの韓鶴子と面会していたことが発覚。二〇二二年一〇月三日の会見で、会ったことを覚えていなかったのかと聞かれ、冒頭の発言となった。

当然、国会は紛糾。二〇二二年一〇月一九日の参議院予算委員会で山際は野党からの集中砲火を浴びたが、山際は「記憶の限りで、お会いしておりません」「記憶の限り、見ておりません」と繰り返した。

ネパールでスピーチしている写真が出てきたにも関わらず、「スピーチした記憶もないんですか?」と問われると「ございません」と答弁。

立憲民主党の辻元清美が「文鮮明氏にも会ってる、文鮮明氏と同席してる、というようなことが発覚したら、さすがに大臣は辞めますよね」と質問すると、山際は次のように答えた。

以下、そのやり取り。

山際「わたくし自身の記憶の限りでは、その方とお会いしたことはありませんけども、それが何か出てくる可能性を全部否定するわけでは当然ありません」
辻元「えー?」
山際「覚えてないわけですから」

恥知らずは最強である。

下村博文

「もうちょっと丁寧に、当時の状況を踏まえて、今の文科大臣なり、あるいは文化庁なりが説明してもらいたいなというふうに思います。私がそれ（統一教会の名称変更）を受理しろとか、どうだとか、いうようなことを担当者に申し上げたことはなかったという意味で、関係なかったということを申し上げています」

「（自身は）直接関係はありませんでしたけれども、しかし、世界日報等と取材を受けたりしたことはありましたから、今後は関係団体含め、一切の関係を断つということは明言しておきたいと思います」「今となれば責任は感じます」

統一教会が〝正体隠し〟のために、団体の名称を「世界平和統一家庭連合」に変更したのは二〇一五年。当時の文科相だった下村博文の関与が濃厚になっている。

各メディアが報じているように、統一教会が名称変更を求めて文化庁を訪れたのは一九九七年頃。以来、団体はこの件で複数回にわたり文化庁に対してロビイングを続けてきた。

全国霊感商法対策弁護士連絡会は、霊感商法や献金の強要などトラブルが絶えない状況を鑑み、名称変更を認めないよう繰り返し求めてきた。

統一教会の宿願だった名称変更は、約二五年にわたるロビー活動でも実現しなかったが、二〇一二年一二月の第二次安倍政権発足のわずか三年であっさりと実現する。

二〇一五年六月に統一教会が文化庁に名称変更を申請すると、二カ月後の八月には認証が決定。このときの文科相が下村だった。

二〇一三年から一四年にかけ、統一教会関係の世界日報社の月刊誌には下村のインタビュー記事が掲載されている。二〇一六年には下村が代表を務める政党支部が、世界日報社の社長名義で献金六万円を受けていたこともわかっている。

全国霊感商法対策弁護士連絡会は二〇二二年七月二九日に会見を開き、川井康雄弁護士が次のように述べている。

「統一教会であることや宗教団体ということを隠して教義を広げ、信者にするという方法を取っていたが、それに拍車をかけたのが名称変更だった。私たちは（二〇一五年の）名称変更の五カ月くらい前に、名称変更を認めないよう文化庁に申し入れをしたが、結局、認めてしまった」

申し入れ書では「宗教団体であることさえ判らない名称で、宗教の勧誘であることに気づかないように仕組んでいる」などと訴えていたという。

下村博文（1954〜）。文部科学大臣、自民党政調会長等を歴任。安倍派に所属（写真：朝日新聞社）

変更に至るプロセスにも疑義が生じている。統一教会の申請を受けた文化庁の担当者は、これを下村に事前に報告。その後、最終決定者である文化部長が認証を決め、再び下村への報告がなされたという。

かつて文化庁の文化部長を四年ほど務めた寺脇研は日本テレビの取材に対し、通常、この種の手続きで大臣にまで報告があがるのは「異例なこと」と述べている。

寺脇は「たとえば大臣と関係の深い団体だということであれば報告するでしょうね。特に申請者の側から『うちは大臣とも深い関係でして』って言われたらそりゃ報告しますよね」と述べ、行政の手続きとしては関与していないとしても、一般論としては事実上の関与をしているとの見解を示した。

統一教会の名称変更の経緯を知るため野党が文化庁に情報開示請求をしたところ、出てきたのは肝心な部分が黒塗りになった資料ばかり。「規則変更理由」の欄は黒塗り。教団側が提出した、変更に至る背景や事情説明が書かれたと思われる文書は全文が黒塗りになっていた。

当局は「変更理由に関する情報は、当該法人、および所轄庁以外が知りえないものなので、公にすることで当該法人などの権利、競争上の地位、その他、正当な利益を害するおそれがあるものに該当するものとして、不開示としている」と説明したが、カルトの権利、地位、権益を国が支えてきたのである。

山本朋広

「本日は母の日ということで、マザームーン（韓鶴子）に先ほど、カーネーションの花束をプレゼントさせていただきました」
「私の母は私にとっての母でしかありませんが、マザームーンは、皆様にとっての母であります」
「皆様からマザームーンに対しての、感謝の思いが、マザームーンへ伝わる」
「本当に皆様には、我々自民党に対し、大変大きなお力をいただいていますこと、あらためて感謝を申し上げたいと思います」

一連の統一教会に関するの報道の中で「マザームーン」を連呼していたのが下村の文科相時代に政務官として仕えた山本朋広である。
この件で記者から突撃取材を受けた山本は、スマホを耳にあてながら「もしもーし、もしもーし、もしもし」とバレバレのウソ電話をして逃亡した。

山本朋広（1975〜）。防衛副大臣等を歴任（写真：朝日新聞社）

別の日に記者がぶら下がり取材で問い詰めると「きちんと事務所にご連絡いただければ対応いたしますので」「ごめんなさい」と言いながら逃亡。しかし質問状を事務所に何度送っても無回答だった。二〇二二年八月五日の文部科学委員会では、議場の外で待ち受けるメディアを避け、別の出口から逃亡。

マザームーン発言は、二〇一七年五月一四日の統一教会のイベント「孝情文化フェスティバル in TOKYO」に、来賓として出席した山本の口から飛び出したものである。日本テレビによると、山本の事務所から回答FAXが届いたのは二〇二二年八月一九日。三度目の質問状を送って二週間後だった。

「自民党に対し大変大きなお力をいただいています」の意味については「ご指摘のイベントには、地元の世界平和連合の方からのお誘いで参加しました。旧統一教会のイベントとして認識していませんでした」「日頃から色々な会に招かれ、参加者への一般的なご挨拶として申し上げています」と説明。マザームーンと呼んだ理由および韓鶴子との関係については以下のように回答した。

《当方は、イベントにお誘いを受け参加をしましたが、そこまで深いお付き合いもなく、平和連合の総裁のことも韓鶴子（かんつるこ）さんだと思っていましたが、会場に到着すると『かんつるこさん』と呼ぶ人は誰一人おらず、みなさん韓国語の呼び方をされており、確かに最近は金大中氏や習近平氏なども相手国の言葉で呼ぶようになっているな、と感じましたが、韓国語に明るくない当方は『ハンハクチャ』と呼んでいるのか『ハンハクジャ』と呼んでいるのか、良く分からず、挨拶の中で人の名前を言い間違えるのは大変失礼になるので、どうしたものか、と控室で悩んでいたところ関係者が英語での愛称もありますよ、と教えてくれたのが『マザームーン』でした。非常に簡単な語彙で間違いようがなく、実際に、当方の挨拶の前に流された動画においても世界の著名な政治家、学者の方々が平和連合の総裁に対してマザームーンと呼称しているのを拝見し、そ

れに倣いました》

実の母親よりも大切な韓鶴子の名前が読めないという説明はにわかには信じがたいが、質問状を無視してきた理由については「従前より様々な団体とお付き合いがあり、相手方もあることとなので個別具体的な回答は控えさせて頂きたい、とのお返事をさせて頂いておりましたが、党総裁からの丁寧な説明をするようにとの指示、回答を控えることにより疑念を抱かれる、或いは、信者ではないか？　との誤解を招くなど事実と異なる事柄がSNSを中心に発信されていることを鑑みて、事実関係をお返事致しました」。

何の答えにもなっていない。

ちなみに山本は、党本部が行った「旧統一教会及び関連団体との関係について」という調査で、同イベントを「関連団体」のイベントと嘘の報告をしていた。関連団体ではなく統一教会である。

毎日放送がこの件で山本事務所に質問状を送ると、「あらためて確認したところ、旧統一教会の会合であったことが判明したので（略）あらためて党本部に点検結果を報告した次第です」と回答。

バレるまではひたすら嘘をつく。〝後だしジャンケン〟は山際大志郎や萩生田光一だけのお家芸ではない。

山谷えり子

「男女ごちゃ混ぜの教育をしたり、激しい性教育をしたり、結婚の否定とか、ジェンダーフリーというどこの言葉でもない、英語のようですが全然英語ではない、勝手に日本が作った、勝手な、定義も分からない言葉を使って独り歩きさせたり、混乱が起きているわけです」

「次の五か年計画にジェンダーという定義を入れるべきではないと思います」

二〇〇五年三月四日の参議院予算委員会における山谷えり子の発言である。

山谷は一九八九年の参院選で民社党から立候補して落選すると、二〇〇〇年の衆院選で民主党から立候補して初当選。二〇〇二年に離党して保守新党に参加する。

二〇〇四年の参院選で自民党から比例区で出て当選し、安倍派に所属。国家公安委員長などを歴任した。

「反ジェンダー論者」として安倍とともに男女平等の思想を攻撃してきた。どのような価値観を持とうが勝手だが、「男女平等」を諸悪の根源として否定する概念は統一教会の思想と完全に一致する。国会で「男女平等は絶対に実現し得ない反道徳の妄想です」と発言したのは総務大臣政務官の杉田水脈だが、山谷の思想も基本的にこれと同じだ。

山谷は「世界日報」（二〇〇一年一一月二五日付、二六日付）に、夫婦別姓に反対する国会議員の連続インタビューで登場し（当時は民主党所属）、「結婚するもしないも、子供を産むも産まないも『個人の自由』という風潮の中で、家庭の幸せや、国への思いを語ることがタブーになっています」と発言。統一教会は古くから山谷と安倍を教団の大願成就に欠かせないキーパーソンと位置づけてきた。前参議院議員でジャーナリストの有田芳生は教団の内部文書を公開。勝共連合が二〇一〇年の参院選で、山谷を全面支援する旨を統一教会の信者に向けて

山谷えり子（1950〜）。国家公安委員会委員長等を歴任。安倍派に所属（写真：朝日新聞社）

出したものと見られる。以下に一部抜粋する。

《山谷えり子先生の必勝のためにご尽力をお願いいたします。山谷先生、安倍先生なくして私たちの「み旨」は成就できません。日本会議も今回は票が割れるようです。「山谷えり子」と二枚目の投票用紙に記入することを何度も何度も徹底して下さい（略）全国足並み統一行動になります》

霊感商法対策弁護士連絡会の山口広弁護士も著書『検証・統一教会＝家庭連合』で、山谷が二〇〇三年の衆院選で統一教会の組織的支援を受けていたと指摘している。

《顔見知りの信者たちがスーツを着て、事務所のお茶だし、名簿整理、ポスター貼りの承諾取りの戸別訪問、ポスター貼り、うぐいす嬢などをさせられた。『過度の性教育に反対』『家庭の再建』など選対で渡されたアナウンスマニュアルは統一教会で普段言われている内容とそっくりだった》

結果、山谷は片山さつき、佐藤ゆかりに続き三位で当選。その四年後の二〇一四年に安倍政権で国家公安委員長に就いた。

「過激な性教育・ジェンダーフリー教育実態調査プロジェクトチーム」の座長を務めたのが当時幹事長代理だった安倍、事務局長は山谷だった。

有田が公開した内部文書はメディアに大きく取り上げられた。山谷は記者から問い詰められると以下のように返答した。

《統一教会に関しましては、私は選挙応援をいただいておりません》

《私は関係ありません》

《(内部文書については) よくわからない》

山谷は二〇二二年九月二七日、「国葬儀で安倍元総理の歩まれた道の尊さ、厳しさを思い、ご遺志を継ぐことを誓いました」とツイートしている。この先も安倍の遺志を継いでいくらしい。

杉田水脈

「ＬＧＢＴだからといって、実際そんなに差別されているものでしょうか」

「ＬＧＢＴのカップルのために税金を使うことに賛同が得られるものでしょうか。彼ら彼女らは子供を作らない、つまり『生産性』がないのです」

「国や自治体が少子化対策や子育て支援に予算をつけるのは、『生産性』を重視しているからです。生産性のあるものとないものを同列に扱うのは無理があります。これも差別ではなく区別です」

「このままいくと日本は『被害者（弱者）ビジネス』に骨の髄までしゃぶられてしまいます」

これらは『新潮45』という月刊誌に杉田が寄稿したもの。杉田の書いた文章は当然ながら炎上し、海外からも批判され、最終的に雑誌は廃刊に追い込まれた。当時、私は『新潮45』に連載を持っていたので、迷惑極まりない。

杉田は日本維新の会から出馬し議員になったが、維新の分党により、次世代の党結党に参加。その後、安倍に気に入られて二〇一七年に自民党から出馬し当選している。

杉田の自民党入りを後押ししたのはジャーナリストの櫻井よしこだという。

櫻井はネット番組「言論テレビ」に出演した際、こう語っている。

「安倍さんがやっぱりね、『杉田さんは素晴らしい！』って言うので、萩生田（光一）さんが一生懸命になってお誘いして、もうちゃんと話をして、（杉田は）『自民党、このしっかりした政党から出たい』と」

こうした同類の連中が集まり、自民党はカルト化していく。

杉田は国会で「男女共同参画基本法という悪法を廃止し、それに係る役職、部署を全廃することが、女性が輝く日本を取り戻す第一歩だと考えます」と述べた上で、安倍の言葉を引用し礼讃した。

《総理の著書『美しい国へ』からの抜粋です。「最近ジェンダーフリーという概念が登

場した、生物学的差異や文化的背景も全て否定するラジカルな考えを包摂する和製英語だ」》

《以前、ジェンダーフリー教育を考えるシンポジウムにおいて、（安倍）総理は、結婚や家族の価値を認めないジェンダーフリーは文化の破壊につながるとも発言していらっしゃいます》

杉田水脈（1967～）。総務大臣政務官。安倍派に所属（写真：朝日新聞社）

安倍の死後、二〇二二年八月の岸田内閣改造で、杉田は総務政務官についている。

こうした中、ジャーナリストの伊藤詩織が杉田に損害賠償を求めた訴訟の控訴審で、杉田に五五万円の支払いを命じる判決が二〇二二年一〇月二〇日に東京高裁で出た。性暴力被害を公表した伊藤氏に対し、一般のネットユーザーがＳＮＳに「枕営業の失敗」「売名行為」「相手をレイプ魔呼ばわりした卑怯者」などと中傷する投稿をしたところ、杉田はそれら計二五の投稿に「いいね」を押していた。

杉田は、二〇一六年八月五日、ツイッターに「幸福の科学や統一教会の信者の方にご支援、ご協力いただくのは何の問題もない」と投稿している。二〇一九年四月二八日には、勝共連合と関係が深いとされる団体主催の会合で講演し、翌二九日に「会場はお客様で満杯。懇親会までじっくりとお話しさせていただき、本当にありがとうございました」と投稿している。

この件について記者から質問された杉田は、「主催団体が旧統一教会の関連団体だったとは存じ上げておりません」。これ以上の確認はとらないのかという質問には、「えっと、確認といいますと、これ以上何を調べればいいのか」「関係団体であるかどうかというのは、逆に誰が定義をされるんですかね。定義がわかりませんので」と開き直った。

なお、杉田はニューヨークにある統一教会の教団施設で講演をしている（二〇一六年八月）。

第4章　いかがわしい「論客」

金子恵美

「立憲民主党は労働組合から熱烈な支援を受けていらっしゃるのは周知のとおりですが、彼らがスタッフとして職務中に派遣されているのは選挙違反にあたるのですが、お一人お一人が有給休暇を取得してきているか、欠勤をして手伝いにきているのか、その申請を全て確認しているのでしょう」

「そこまで細かいオペレーションで運用されているのであれば、安心ですね。ここまでしっかりとした管理体制があるのでしたら『ご自身の国籍』についてもしっかり管理されているのでしょうから、改めてご説明されてみてはいかがでしょうか」

元二階派の自民党衆議院議員だった金子恵美。出産入院中に旦那の宮崎謙介が不倫して「文春砲」を喰らい、議員辞職。自身もその数年後に議員を辞し、芸能プロダクションとマネジメント契約をし、情報番組などでコメンテーターをやっている。

冒頭の言葉は、蓮舫がツイッターで金子のテレビでの発言に触れ、カチンときた金子がブログでやり返したものだという。金子は二〇二二年八月六日に「ウェークアップ！」という日本テレビ系の情報番組に出演し、自身の議員時代の選挙ボランティアに統一教会の関係者が「まぎれこんでいた」ことを認め、「人の出入りも激しいですし、運動員レベルで一人一人の身体検査をするのは、余力も余裕もないのが実態だと思います」と述べていた。

蓮舫は翌日のツイッターで「公選法違反に問われないためにもボランティアの方々の管理は当然行います。選挙に勝つために誰にでも手伝ってもらう、との論はやめた方がいい」と投稿。

これに対し、金子はブログで以下のように述べている。

《元国会議員とはいえ現在は一民間人になっている私に対して、国家・国民のために日夜思考を巡らせていらっしゃるご多用なお立場から、個人のコメントに対するご指摘をいただき大変恐縮です》

《選挙の実態をご存知の方であれば、ご厚意でボランティアスタッフの役を買って出てくださっている方々のお一人お一人に対して詳細な身元確認をするのは極めて難しいものだということはご存知でしょう。それをご自身は管理されているということなのですから、大変素晴らしいことだと思います》

そして冒頭に引用した文章につながる。

どうでもいいような言い合いだが、認知バイアスでいう典型的な「対人論法」なのでここで採り上げた。

対人論法とは、論者の地位・職業・経歴・性格・主義などを理由にして、論者の主張の真偽を判断しようとするもの。金子は皮肉たっぷりに、反撃できたと思ったのかもしれないが、議論にもなっていない。

私は別に蓮舫を擁護するつもりもないが、ここで議論になっているのは統一教会というカルトが選挙に関わっていたということであり、「ご自身の国籍」はなんの関係もない。

これは論理学でいう「お前だって論法」にも近い。これは自分の不当性に対する指摘をかわすために、本来の論点とずらした反論で攻撃する論法のこと。

ネットでよく見かけるように、「そんなこと言える立場なの」と問いかけることにより議論を終わらせてしまう。

ちなみに宮崎謙介は、二〇二二年七月三一日にTBS系「サンデー・ジャポン」に金子と一緒にVTR出演。自身の議員時代の話として、「うちの事務所も『世界平和連合』（の名）で応援に来てたんですけど、旧統一教会とイコールにはなっていなかったんです」と語っている。

ケント・ギルバート

「一部メディアの論調や、世間の反応を見ていると、『日本は大丈夫なのか？』と不安になっている」

「一部の野党やメディアは、安倍晋三元首相の『国葬（国葬儀）』や、旧統一教会（世界平和統一家庭連合）の問題ばかりを取り上げている。米国人の私から見ると、意図的に、国民の目をそらそうとしているとしか思えない」

憲政史上最悪と名高い安倍政権を七年八カ月にわたり支えてきたのがカルトや政商、「保守」を自称するいかがわしい勢力だった。安倍主催の「桜を見る会」には、百田尚樹、有本香、ケント・ギルバートといったネトウヨライターも招かれていた。

いつネトウヨ稼業に転向したのかはよくわからないが、ケント・ギルバートというタレント弁護士は、講演で日本は憲法を改正すべきだと繰り返している。大きなお世話である。もし日本の弁護士がアメリカで講演して「アメリカは憲法を改正すべきだ」と言えば、「帰れ、バカ」と言われるだけ。外国人から主権の問題に口出しされても、平気な顔をしている日本人は多い。

その日本を心配するアメリカ人が、国葬の話はやめて別の話をしようと言い出した。「意図的に、国民の目をそらそうとしている」のは一体どちらか。

「夕刊フジ」に寄稿したコラムではこう述べる。

《きょう二五日は、安倍晋三元首相の「四十九日」にあたる。この間、一部メディアの論調や、世間の反応を見ていると、「日本は大丈夫なのか？」と不安になっている》

《東京弁護士会が今月一日、「安倍晋三元内閣総理大臣の『国葬』に反対し、撤回を求める会長声明」を出した》（※原文ママ。東京弁護士会の声明は八月二日のものを指していると見られる）

《弁護士会は、弁護士法で「強制加入」が義務付けられている団体であり、特定の政治的主張を行う団体ではないはずだ。会長声明が、所属弁護士全員の意思とは思えない。

本来は「有志」で出すのが筋ではないか》

東京弁護士会は二〇二二年八月二日、伊井和彦会長の名前で次のような声明文を出している。

《一人の政治家の死を葬儀の場で悼むことは、主義主張に関わりなく行われて然るべきであるが、安倍元首相の葬儀は既に親族において執り行われている。それにもかかわらず、政府が敢えてそれとは別に、閣議決定により「国葬」という儀式を執り行う意味が、問われるべきである》

声明文全体を読んでも「特定の政治的主張」は見あたらない。

安倍の国葬に法的根拠がなく、手続きを無視するのは、議会制民主主義を否定するものだと、弁護士の立場から事実を指摘しているだけである。

また、二〇二二年一〇月一四日の紙面にも変な文章を載せている。見出しは以下のとおり。

《今国会は「いますべきこと」議論せよ　北が連日ミサイル発射の暴挙も　国葬や旧統一教会ばかり…意図的に国民の目そらす狙いか》

北朝鮮のミサイル問題やロシアのウクライナ侵攻問題、中国の軍事的覇権拡大など問題が山積しているのだから、一部の野党やメディアのように国葬や統一教会の問題で騒いでいる場合ではないと「心配」してくれているらしい。

何度も言うが、北朝鮮やロシア、中国について論じることと、統一教会問題を論じることは何の関係もない。国会で安全保障や外交問題をしなくなるわけでもない。論理が雑すぎる。

ギルバートは言う。

《（岸田内閣が）国民と国家を守るために「今すべきこと」に全力で取り組めば、支持

率回復の余地は残っていると思う》

ＦＮＮによる世論調査（二〇二二年一〇月一五、一六日の両日実施）では「国葬実施よかった」は三五・二％、「よくなかった」は五九・二％である。また、岸田の統一教会をめぐる問題への対応を「評価する」は一七・五％、「評価しない」は七二・七％。岸田が支持率回復のため「今すべきこと」は明らかである。

門田隆将

「虎ノ門ニュースで政治と宗教の関係、特に旧統一教会と創価学会について解説させてもらった。統一教会の〝天敵〟だった安倍晋三氏を真逆の〝シンパ〟に仕立てあげる地上波とアベガーの酷さ、創価学会丸抱えで中国共産党の主張と同一化する公明党の問題点を指摘。反響が大きく驚いた」

「〝安倍氏は統一教会の天敵〟との論を撤回せよ、との意見がよく来る。だが事実は一つ。同会の霊感商法や朝日の慰安婦強制連行捏造報道で始まった一六万人の〝日本女性特別修練会〟を嫌った安倍氏は消費者裁判手続特例法と消費者契約法改正で霊感商法を狙い打ち。ピーク時一六四億円の被害額は三億円に。これが事実」

今回、自称保守系月刊誌の執筆陣の錯乱ぶりも面白かった。一連の統一教会報道の中であぶりだされた数多くのバカの中で、金メダル級のバカを選べと言われたら門田隆将は外せない。

すでに述べたように、消費者裁判手続特例法と消費者契約法の一部改正は、統一教会にとって不利に働くため、安倍は統一教会の天敵であり、したがって安倍は統一教会とつるんではいないという話だが、韓鶴子に「敬意を表します」とビデオメッセージを送る安倍のどこが天敵なのか意味不明。思い込みと事実の区別もつかない花畑。

二〇一三年の消費者裁判手続き特例法は、悪徳商法を対象にしたものだが、消費者庁が挙げた対象例に霊感商法への言及はない。つまり統一教会被害を想定して作られた法律とは言えない。また、二〇一八年の消費者契約法改正において安倍内閣が最初に提出した法案には「霊感商法」の文字は記載されていなかった。初案では、救済の対象となるのは「社会生活上の経験が乏しい」若年層に限定されており、高齢者の被害は救済の対象にならないという内容だった。

これに対し、立憲民主党の尾辻かな子議員らが「おかしいではないか」と追及し、衆議院での審議を経て霊感商法対策が加えられたというのが経緯。

門田は、二〇二二年九月九日配信のＹｏｕＴｕｂｅ番組「デイリーＷｉＬＬ」に出演した際にも、こんなことを言っている（発言は要旨）。

《清和会（安倍派）は台湾派。対して親中派の岸田や茂木らが安倍派潰しに統一教会を利用している》

《自民党は憲法で保障されている信教の自由を奪うことをこれからやっていく。統一教会と関係を断つことを守れないなら離党勧告と茂木が言った。それは憲法違反》

《自民党は世界に向かって憲法違反の政党だと宣言したようなものだ》

《安倍派解体で喜ぶのは親中派》

《そもそも安倍さんは統一教会の天敵だとずーっと話してるのにまだわからない人が多い》

《安倍政権は法改正で被害額を五〇分の一にした》

《自民はズブズブどころか霊感商法を潰すためにあらゆることをやってきた》

陰謀論もこじらせるとお笑いに転化する。

ひろゆき

「ひとが葬式やってるところにいって、反対って叫ぶのって、人としてどうなの？　って思うんですけど」

「2ちゃんねる」開設者のひろゆきが、辺野古新基地建設に抗議する座り込みを揶揄するSNSの投稿を行い、批判されていた。ひろゆきは米軍キャンプ・シュワブゲート前を訪ね、座り込みが三〇一一日に達したことを示す掲示板について「座り込み抗議が誰も居なかったので、0日にした方がよくない？」とツイート。現在、辺野古では工事車両が来る九時、一二時、一五時に合わせて座り込みが行われている。ひろゆきは夕方の誰もいない時間にゲート前のテントを訪れていた。

沖縄タイムスの記者が「辺野古新基地建設に対して、沖縄の人々が民主主義に則って何度反対を示しても、日本政府がそれを踏みにじって工事を進められる理由は、あなたも（私も）含めた多数派日本人がそれを許しているからだと考えたことはありますか」とツイートすると、ひろゆきは「もう少し、勉強された方がよろしいかと思います。それとも名護市民の民意は踏み躙っても良いのですか?」と返答。しかし渡具知武豊名護市長は辺野古新基地建設に賛否を示していない。二〇二二年一月の当選翌日には「基地に反対しているが私に票を投じた人がかなりいた」と発言。この数年の知事選と県民投票の結果を見ても、沖縄の民意は明らかである。

もっとも、こうした事実を指摘されても痛くもかゆくもないだろう。ひねくれたことを言って注目されたいだけで、これまでの言動を見る限り、建設的な議論になるわけもない。

その「ひろゆき」が、安倍の国葬についてこうツイートしていた。

《人の葬式に行かない人は、黙って行かなければいいだけです。「行きません」とわざわざ言う必要はないと思います。遺族と参列者に失礼です。葬式に行かない人に「行くべきだ」という人は野暮です。弔意を表す、表さない、表し方は、個人の自由です。強

制されたものは本心からの弔意ではないです》(二〇二二年九月一〇日)
《同意しない人も多いと思いますが、例え反社の人でも葬式ぐらいは静かに送ってあげる礼節を持つべきだと、おいらは考えます。昔から日本人は村八分であっても葬式の手伝いはしてました。「酷いことをした人だから葬式を妨害していい」と言える人は、誰にも迷惑を掛けずに生きてきた人なのかな?》(二〇二二年九月一四日)

また、二〇二二年九月一〇日配信のネット番組「ABEMA 変わる報道番組」では、中核派の活動家で杉並区議の洞口朋子と討論する形で、次のように語っている。

《国葬に反対する人がいろんな意見を持っていたり、普通の時にデモをするのは全然いいと思うんです。ただ、ひとが葬式やってるところにいって、反対って叫ぶのって、人としてどうなの? って思うんですけど》
《反対したいっていう考え方と、悲しんでる人の心を逆なでするってことは、違うことなんじゃないかなと》

《あなたのご両親が死んで、中核派ふざけんなって騒ぐのは全然ＯＫってことですか？》

何度も述べるように、国葬は葬式ではない。安倍の葬式は二〇二二年七月一二日に増上寺で終わっている。国葬反対派が、増上寺に押しかけてデモをしたわけでもない。最初のボタンが掛け間違えているから、下のボタンも全部ずれていく。

阿比留瑠比

「旧統一の教義なんて関心がなかったが、原罪のあるエバ国日本がアダム国韓国に貢げということなら、朝日をはじめとした左派が慰安婦問題など歴史認識で煽り続けた論調と軌を一にする。そう言えば朝日は、一九九〇年に大々的に慰安婦キャンペーンを開始した……なんて陰謀論的に話を広げたら何でもありだな」

阿比留は産経新聞政治部の記者で『安倍晋三が日本を取り戻した』という本も書いている。こちらに挙げたのは阿比留が二〇二二年九月八日に投稿したツイッターの文面である。これも先ほど述べた「お前だって論法」に近い。

阿比留は自称保守系月刊誌の『正論』に、「『空気』が支配する日本社会の異常」という文章を寄稿。次のように述べている。

「安倍晋三元首相が世界平和統一家庭連合（旧統一教会）に恨みを持つと供述している男の理不尽な凶弾に倒れ、この稿を書いている時点で四十日余が経つ。当初は、中国の脅威に早くから気づき、国際社会の枠組みを変えた名宰相としてその死を惜しまれた安倍氏は、いつの間にか過去に霊感商法などで多くの被害者を出した教団との関わりばかりが語られるようになった。安倍氏の功績や人柄をしのぶよりも、政治家と教団の関係ばかりが注目される「空気」が醸成されていき、教団を批判しない者はその同類項やシンパだとみなすという同調圧力も生じた」

安倍礼賛ビジネスをやっていた連中は都合が悪くなると夢と現実の区別がつかなくなる。「霊感商法などで多くの被害者を出した教団との関わり」が追及されるのは当たり前の話であり、ましてや反日カルトが日本の政治に食い込もうとしていたわけである。これは国家の安全保障の問題だ。

安倍とその周辺は、安倍の祖父の岸信介の時代から、統一教会と深い関係にある。新聞記者が安倍に関する報道を続ける新聞を読んでいない可能性は低いので、それこそ「安倍氏の功績や人柄」をしのぼうという「空気」を醸成するのがこの類の連中の「仕事」なのだろう。

さらに阿比留は朝日新聞の議員に対するメールアンケートに「問題があると思う議員の行為などの情報があればご記入下さい」という項目があったとして、憤っている。

《陰湿な密告、告げ口の勧めである。朝日新聞は憲法二十条が「信教の自由は、何人に対してもこれを保障する」と定めていることを知らないらしい。江戸時代、キリシタン摘発のために行われた宗門改めのようなことがしたいのか》

《彼らの説く個々の自由も法の下での平等も偽物なのか》

問題になっているのは反社会的カルトである。ネトウヨ御用達の「信教の自由」云々については、すでに説明した。阿比留は産経新聞の配信記事（二〇二二年一〇月二〇日）で次のように書いている。

《生来の天邪鬼なせいか、多数派の意見や潮流にはつい逆らいたくなる。岸田文雄首相が世界平和統一家庭連合（旧統一教会）をめぐり、宗教法人法に基づく調査を指示した件が話題だが、もっと優先すべき喫緊の課題があるのではないか。例えば、一七日の衆院予算委員会で自民党の萩生田光一政調会長が質問した安全保障問題がそれである》

「他にやるべきことがある」バカについてもすでに述べたが、それ以前に統一教会問題は安全保障問題でもある。

もっとも阿比留が安倍ビジネスをやってきたと言うつもりはない。それどころかガチの可能性が高い。日本を取り戻してくれた憧れの〝安倍さん〟が実は反日カルトとズブズブで、地元事務所には統一教会の関係者が出入りし、選挙で協力してきたという数々の証言がある事実を認めることができず、認知的不協和に陥り、最後は現実に目を閉ざし、安倍とカルトの関係は忘れましょうと呪文のように唱えるようになった。

このような人物が、かつて全国紙と呼ばれた新聞の編集委員をやっていることは恐怖でしかない。

花田紀凱

「いまや自民党まで、メディアと世論に気圧されて、『社会的に問題が指摘されている』などという極めて曖昧な理由で『旧統一教会と関係を絶つ』と宣言してしまった。旧統一教会はれっきとした宗教法人格を有している団体であるにもかかわらず、ですよ。いま語るべきは旧統一教会問題などではなく、統一教会『報道問題』だよ」

自称保守系月刊誌『Ｈａｎａｄａ』を主宰する花田が、『週刊文春』の編集長時代に部下だった斎藤貴男と「現代ビジネス」の企画で対談している。

タイトルは「月刊『Ｈａｎａｄａ』編集長をリベラル派・斎藤貴男が直撃…「統一教会」と『国葬』問題をガチンコで語る」というもの。

花田は言う。

《いまリベラルメディアが繰り広げている旧統一教会批判は酷すぎるね。端的に言って、旧統一教会問題を奇貨として安倍さんを貶めようという、心卑しい「ためにする議論」でしかない（略）要は、旧統一教会の「悪」や、安倍さんとの関係をあえて過大に言い立てて、安倍さんの評価を下げたい一心なんですよ。実際、安倍さんは暗殺されても仕方なかったと言わんばかりの空気がすっかり世の中を覆うようになってしまった。これはとんでもない話だ。国葬への反対が増えてきたのも、この空気が関係している。こういったムードを必死になって作っているのが、朝日新聞や毎日新聞、それとテレビのワイドショーだよ。社会が朝日的なものに毒されていくようだ。朝日のこの安倍さん叩きの執念はいったい何なのかね》

これに対し斎藤が「その認識はおかしい。どうして教団に問題がないかのように言えるんですか？（略）花田さんはいま事態を正面から見ようとしていないのではないか」と反論すると、花田はこう述べる。

《いやいや、そんなことはまったくない。いま朝日などが問題にしてるのは、ほとんど

教団の過去の話ですよ》

《僕は統一教会のことを見ないふりして安倍さんを擁護しようなんて思ってないよ。全く逆だ。ちゃんと見ろと言ってるんだよ。教団は「現在ただいま」も、本当にそんなに悪なのかと問うている》

《いまの教団は、果たして往時と同じことをしてるのか？ 違法、不法な霊感商法をいまだに続けているのか？ たしかに統一教会は、かつて違法な霊感商法をした疑いで摘発され、結果、有罪にもなりました。でもそれを受けて、二〇〇九年に教団はコンプライアンス宣言をして、姿勢を変えた。現に刑事事件は一一年以降、皆無。教団の田中富広会長が先般の会見で言ったように、係争中の民事訴訟も一九九八年の七八件から、今年二〇二二年は五件にまで減っている。全国弁連がまとめる相談件数だって宣言以降、急速に減少しています。だから、虚心坦懐にデータを見たら、「現在ただいま」の教団は正常化してきていると言える》

全国霊感商法対策弁護士連絡会が公開した資料によると、一九八七年から二〇二一年までに弁護団に寄せられた相談件数は二万八二三六件、被害額は約一一八一億円。これに消費者センターが一八年まで集計した相談件数・被害額を合わせると、相談件数は三万四五三七件、被害額が一二三七億円になる。コンプライアンス宣言後の二〇一〇年以降でも二八七五件の被害相談があり、被害額は約一三八億円に及ぶという。

全国弁連の渡辺博弁護士は「被害の実態はもっと大きいはず」と訴える。献金の返還を請求できないよう権利を放棄させる「合意書」の存在も明らかになった。全国弁連によると、元信者に署名押印させていた事例が複数確認されたという。

紀藤正樹弁護士も指摘する。

《一般的に消費者相談の窓口が十分に機能していれば一〇分の一くらいが統計に表れる。機能していなければ一〇〇分の一と言われる。仮に一〇分の一だとしても、一兆円を超える被害が過去に起きているとなれば、霊感商法の被害は憲政史上最大の消費者被害と言える》

刑事件数についても紀藤弁護士は、日本共産党が行ったヒアリングの中で、「一九八七年に旧統一協会の販売会社だったハッピーワールドは、霊感商法をやめると宣言し、警察の捜査が止まった。その後、たった五年で文鮮明が日本へ入国する。また、二〇〇七年代から旧統一協会の霊感商法の摘発が続いていたが、〇九年にコンプライアンス宣言をすることで、また捜査が止まってしまう。その後、名称変更がなされてしまう。歴史的に見ても、そんなことが起きてしまうのは異常ではないか」と指摘している。

以前、新聞記者の上丸洋一が「『諸君!』『正論』の研究」という本で、安倍の政治観が『諸君!』や『正論』から適当にトピックをチェリーピッキングしたものにすぎないと指摘していたが、この先、安倍という究極の売国奴を礼讃し続けた『Ｈａｎａｄａ』『Ｗ:ｉＬＬ』などの研究もやっていくべきだ。

日本を腐らせたいかがわしい人々

2022年12月25日　初版発行

著者　適菜　収

適菜　収（てきな　おさむ）
作家。1975年山梨県生まれ。ニーチェの代表作『アンチクリスト』を現代語にした『キリスト教は邪教です!』『ゲーテの警告 日本を滅ぼす「B層」の正体』『ニーチェの警鐘 日本を蝕む「B層」の害毒』『ミシマの警告 保守を偽装するB層の害毒』『小林秀雄の警告 近代はなぜ暴走したのか?』（以上、講談社+α新書）、『日本をダメにしたB層の研究』（講談社+α文庫）、呉智英との共著『愚民文明の暴走』（講談社）、『安倍でもわかる政治思想入門』『安倍でもわかる保守思想入門』『国賊論 安倍晋三と仲間たち』、『日本人は豚になる 三島由紀夫の予言』、中野剛志との共著『思想の免疫力』（以上、KKベストセラーズ）、『ナショナリズムを理解できないバカ』（小学館）、最新刊『コロナと無責任な人たち』『ニッポンを蝕む全体主義』（祥伝社新書）など著書50冊以上。

発行者　横内正昭
編集人　内田克弥
発行所　株式会社ワニブックス
〒150-8482
東京都渋谷区恵比寿4-4-9えびす大黑ビル
電話　03-5449-2711（代表）
03-5449-2734（編集部）

装丁　志村佳彦
フォーマット　橘田浩志（アティック）
編集協力　浮島さとし
校正　東京出版サービスセンター
編集　大井隆義（ワニブックス）

印刷所　凸版印刷株式会社
DTP　株式会社 三協美術
製本所　ナショナル製本

ISBN 978-4-8470-6684-9
ワニブックスHP　http://www.wani.co.jp/
WANI BOOKOUT　http://www.wanibookout.com/
WANI BOOKS NewsCrunch　https://wanibooks-newscrunch.com/